DESAFIA-ME

Universo dos Livros Editora Ltda.
Avenida Ordem e Progresso, 157 – 8º andar – Conj. 803
CEP 01141-030 – Barra Funda – São Paulo/SP
Telefone/Fax: (11) 3392-3336
www.universodoslivros.com.br
e-mail: editor@universodoslivros.com.br
Siga-nos no Twitter: @univdoslivros

TAHEREH MAFI

DESAFIA-ME

São Paulo
2025

Grupo Editorial
UNIVERSO DOS **LIVROS**

Defy me
© 2019 by Tahereh Mafi
All rights reserved.

© 2019 by Universo dos Livros
Todos os direitos reservados e protegidos pela Lei 9.610 de 19/02/1998.
Nenhuma parte deste livro, sem autorização prévia por escrito da editora, poderá ser reproduzida ou transmitida sejam quais forem os meios empregados: eletrônicos, mecânicos, fotográficos, gravação ou quaisquer outros.

Diretor editorial: **Luis Matos**
Gerente editorial: **Marcia Batista**
Assistentes editoriais: **Letícia Nakamura e Raquel F. Abranches**
Tradução: **Monique D'Orazio**
Preparação: **Aline Graça**
Revisão: **Leonardo Dantas do Carmo** e **Tássia Carvalho**
Capa: **Colin Anderson**
Foto de capa: **Sharee Davenport**
Arte: **Valdinei Gomes**
Projeto gráfico e diagramação: **Aline Maria**

Dados Internacionais de Catalogação na Publicação (CIP)
Angélica Ilacqua CRB-8/7057

M161d

Mafi, Tahereh

Desafia-me / Tahereh Mafi ; tradução de Monique D'Orazio. — São Paulo : Universo dos Livros, 2019.

304 p. (Estilhaça-me, 5)

ISBN: 978-85-503-0449-6

Título original: Defy me

1. Ficção norte-americana I. Título II. D'Orazio, Monique

19-1329 CDD 813.6

Kenji

Ela está gritando.

Ela só está gritando palavras, penso. São apenas *palavras*. Mas ela está gritando, gritando a plenos pulmões, com uma agonia que parece quase um exagero, e está causando uma devastação que eu nunca soube ser possível. É como se ela tivesse simplesmente... implodido.

Não parece real.

Quero dizer, eu sabia que Juliette era forte – e sabia que ainda não tínhamos descoberto o alcance de seus poderes –, mas nunca imaginei que ela fosse capaz disso.

Disto:

O teto está se dividindo no meio. Correntes sísmicas estão ribombando pelas paredes, através do chão, tiritando meus dentes. A terra treme debaixo dos meus pés. Pessoas estão congeladas no lugar, tremendo, e o salão vibrando ao redor delas. Os lustres oscilam com força demais e as luzes bruxuleiam agourentas. E então, com uma última vibração, três dos gigantescos lustres desprendem-se do teto e se estilhaçam no chão.

Cristal voa para todo lado. A sala perde metade de sua luz, banhando o espaço cavernoso em um brilho bizarro, e de repente é difícil enxergar o que está acontecendo. Olho para Juliette e a vejo fitar tudo aquilo, boquiaberta, congelada diante da devastação, e percebo que ela deve ter parado de gritar um minuto atrás. Ela não consegue deter nada disso. Ela já colocou a energia no mundo, e agora...

A energia tem de ir para algum lugar.

Os tremores se propagam com fervor renovado pelas tábuas do assoalho, subindo pelas paredes e assentos e *pessoas*.

Não acredito até que vejo o sangue. Parece falso, por um segundo, todos os corpos caídos nas cadeiras com o peito aberto como as asas de uma borboleta. Parece ensaiado – como uma piada de mau gosto, como uma produção de teatro amador, mas, quando vejo o sangue, grosso e pesado, vazando pelas roupas e pelos estofados, pingando de mãos congeladas, sei que nunca vou me recuperar disso.

Juliette acabou de assassinar seiscentas pessoas de uma só vez.

Não existe recuperação para isso.

Aos empurrões, percorro os espaços entre os corpos – silenciosos, petrificados, ainda respirando – dos meus amigos.

Ouço as lamúrias suaves e insistentes de Winston e a resposta constante e encorajadora de Brendan dizendo que o ferimento não é tão feio quanto aparenta, que ele vai ficar bem, que ele já passou por cousa pior e sobreviveu...

E sei que minha prioridade agora precisa ser Juliette.

Quando a alcanço, pego-a em meus braços, e seu corpo frio e passivo me lembra daquela vez em que a encontrei parada sobre Anderson, uma arma apontada para o peito dele. Ela estava tão apavorada – *tão surpresa* – pelo que havia feito que mal conseguia falar. Ela parecia ter desaparecido dentro de si mesma em algum lugar – como se tivesse encontrado um pequeno compartimento em seu cérebro e se trancado dentro dele. Levei um minuto para convencê-la a sair.

Ela nem sequer havia matado ninguém daquela vez.

Tento alertá-la, fazê-la recuperar o juízo, implorando agora que volte a si, que retorne às pressas para a própria mente, para o momento presente.

– Sei que tudo está uma loucura agora, mas preciso que você saia desse estado, J. Acorde. Saia da sua cabeça. Temos que dar o fora daqui.

Ela não pisca.

– Princesa, por favor – digo, sacudindo-a um pouco. – Temos que ir... *agora*...

Ela ainda não se mexe. Chego à conclusão de que não tenho escolha a não ser levá-la eu mesmo. Começo arrastando-a para trás. Seu corpo inerte é mais pesado do que eu esperava, e ela emite um pequeno ruído ofegante que é quase um choramingo. O medo incendeia meus nervos. Faço um sinal afirmativo com a cabeça para Castle e os outros para seguirem, para irem em frente sem mim, mas, quando olho em volta, procurando Warner, percebo que não consigo encontrá-lo em lugar nenhum.

O que acontece em seguida arrebata o ar dos meus pulmões.

O salão tomba. Minha visão escurece, clareia e então escurece só nos cantos em um momento de vertigem que mal dura um segundo inteiro. Sinto-me fora do prumo. Tropeço.

E então, de uma só vez...

Juliette se foi.

Não figurativamente. Ela literalmente se foi. Desapareceu. Um segundo e ela está nos meus braços, no seguinte, estou agarrando o ar. Pisco e giro no lugar, convencido de que estou enlouquecendo, mas, quando observo a sala, vejo o público começar a se contorcer. As camisas estão rasgadas e os rostos, arranhados, mas ninguém parece morto. Em vez disso, começam a se levantar, confusos, e, assim que começam a andar arrastando os pés, alguém esbarra em mim com força. Levanto o olhar e vejo Ian, me xingando, me dizendo para me mexer enquanto ainda temos uma chance, e tento empurrá-lo, tento dizer que perdemos Juliette — que não vi Warner —, e ele não me ouve. Apenas me força a seguir, a descer do palco, e, quando o murmúrio da plateia se torna um grito, sei que não tenho escolha.

Tenho que ir.

Warner

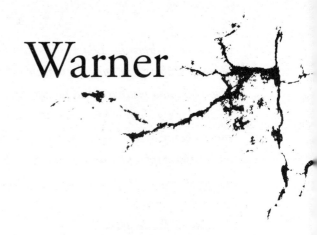

— Vou matá-lo — ela diz, as mãozinhas se fechando em punhos. — Eu vou matá-lo...

— Ella, não seja boba — digo, e saio andando.

— Um dia — diz ela, correndo atrás de mim, os olhos brilhantes de lágrimas. — Se ele não parar de machucar você, eu juro que eu vou matá-lo. Você vai ver.

Dou risada.

— Não é engraçado! — ela grita.

Viro e olho para ela.

— Ninguém pode matar meu pai. É impossível matá-lo.

— Não é impossível matar ninguém — ela afirma. Eu a ignoro. — Por que a sua mãe não faz nada? — diz ela, e agarra meu braço.

Quando encontro seus olhos, ela parece diferente. Assustada.

— E por que ninguém o detém?

Os ferimentos nas minhas costas já não são recentes, mas, de alguma forma, ainda doem. Ella é a única pessoa que sabe sobre essas cicatrizes, sabe o que meu pai começou a fazer comigo no meu aniversário dois anos antes. No ano passado, quando todas as famílias vieram nos *visitar na Califórnia, Ella havia entrado com tudo no meu quarto, querendo saber para onde Emmaline e Nazeera haviam ido, e ela me pegou olhando minhas costas no espelho.*

Implorei a ela que não contasse a ninguém o que vira, e ela começou a chorar dizendo que tínhamos de contar para alguém, que ela iria contar para a mãe dela, e eu disse: "Se você contar para a sua mãe, só vou me encrencar ainda mais. Por favor, não diga nada, tá? Ele não vai mais fazer isso".

Mas ele fez de novo.

E, desta vez, com mais raiva. Ele disse que agora eu tinha sete anos e já não tinha mais idade para chorar.

— Temos que fazer alguma coisa — ela diz, e sua voz treme um pouco. Outra lágrima escorre pela lateral de seu rosto e, rapidamente, ela a enxuga. — Temos que contar para alguém.

— Pare — eu digo. — Não quero falar mais sobre isso.

— Mas...

— Ella. Por favor.

— Não, nós temos que c...

— Ella — digo, interrompendo-a. — Acho que tem algo errado com a minha mãe.

O rosto dela muda. Sua irritação se vai.

— O quê?

Por semanas, eu me senti apavorado de dizer as palavras em voz alta, de tornar meus medos reais. Mesmo agora, sinto meu coração acelerar.

— O que você quer dizer? — pergunta ela. — O que há de errado com ela?

— Ela está... doente.

Ella pisca para mim. Confusa.

– Se sua mãe está doente, podemos curá-la. Meus pais podem fazer isso. Eles são muito inteligentes, eles sabem resolver qualquer coisa. Tenho certeza de que também vão conseguir resolver o problema da sua mãe.

Estou sacudindo a cabeça, meu coração agora acelerado, palpitando nos ouvidos.

– Não, Ella, você não entendeu... Eu acho que...
– O quê? – Ela pega minha mão. Aperta de leve. – O que foi?
– Acho que meu pai a está matando.

Kenji

Estamos todos correndo.

A base não fica longe daqui, e nossa melhor opção é ir a pé. Contudo, quando chegamos ao ar livre, nosso grupo – eu, Castle, Winston, o ferido Brendan, Ian e Alia – fica invisível. Alguém grita um "Valeu" sem fôlego na minha direção, mas não sou eu que estou fazendo isso.

Meus punhos se fecham com força.

Nazeera.

Esses últimos dias com ela têm feito minha cabeça girar. Eu nunca deveria ter confiado nela. Primeiro, ela me odeia, depois me odeia ainda mais e, de repente, decide que não sou um imbecil e quer ser minha amiga. Não posso acreditar que caí nessa. Não consigo acreditar que sou tão idiota assim. Ela me manipulou todo esse tempo. Essa menina simplesmente aparece do nada, usa magia para imitar exatamente a minha habilidade sobrenatural e então – bem quando ela finge ser a melhor amiga da Juliette –, sofremos uma emboscada no simpósio e Juliette meio que assassina seiscentas pessoas?

Até parece. Chamo isso de papo furado.

Até parece que foi algum tipo de coincidência.

Juliette foi ao simpósio porque *Nazeera* a encorajou a ir. Nazeera convenceu Juliette que era a coisa certa a se fazer. E então, cinco segundos antes de Brendan ser baleado, Nazeera me diz para fugir? Me diz que temos os mesmos poderes?

Papo furado.

Não acredito que me permiti ser distraído por um rostinho bonito. Eu deveria ter confiado em Warner quando ele me disse que ela escondia alguma coisa.

Warner.

Caramba. Nem sei o que aconteceu com ele.

No minuto em que voltamos para a base, nossa invisibilidade desvanece. Não sei afirmar com certeza se isso significa que Nazeera seguiu o próprio rumo, mas não podemos diminuir o ritmo a fim de descobrir. Rapidamente, projeto uma nova camada de invisibilidade sobre o grupo. Tenho que sustentá-la por tempo suficiente para nos levar a um lugar seguro, e só estar de volta à base não é seguro o suficiente. Os soldados vão começar a fazer perguntas e, neste momento, não tenho as respostas de que precisam.

Eles vão ficar zangados.

Seguimos nosso caminho, como um grupo, até o décimo quinto andar, até nosso lar na base, no Setor 45. Warner acabou de finalizar essa construção para nós. Ele havia tirado tudo do piso superior para transformá-lo em nosso novo quartel-general – não havíamos nem nos acomodado direito – e as coisas já tinham ido por água abaixo. Não consigo nem me permitir pensar nisso agora, não ainda.

Sinto até náusea.

Assim que nos reunimos em nossa maior sala comunitária, faço uma contagem de cabeças. Todos os integrantes originais restantes do Ponto Ômega estão presentes. Adam e James aparecem para descobrir o que aconteceu, e Sonya e Sara ficam por perto apenas o suficiente para colher informações antes de levarem Brendan de maca para a ala médica. Winston desaparece pelo corredor atrás deles.

Juliette e Warner nunca aparecem.

Rapidamente, compartilhamos nossas versões do que vimos. Não demora muito para confirmarmos que todos testemunhamos basicamente a mesma coisa: sangue, confusão, corpos assassinados e depois... uma versão um pouco menos sangrenta da mesma coisa. Ninguém parece tão surpreso pela reviravolta nos eventos quanto eu fiquei, porque, de acordo com Ian, "Coisas sobrenaturais esquisitas acontecem por aqui o tempo todo, isso não é tão esquisito assim", mas mais importante:

Ninguém viu o que aconteceu com Warner e Juliette.

Ninguém além de mim.

Por alguns segundos, nos encaramos. Meu coração bate acelerado, pesado no peito. Sinto que eu poderia pegar fogo, me incendiar de indignação.

Negação.

Alia é a primeira a falar:

– Vocês não acham que eles estão mortos, acham?

– Provavelmente – diz Ian.

E eu levanto com um salto.

– PAREM. Eles não estão mortos.

– Como você pode ter certeza? – pergunta Adam.

– Eu saberia se eles estivessem mortos.

– O quê? Como v...

– Eu simplesmente saberia, tá? – interrompo-o. – Eu saberia. E eles não estão mortos. – Respiro fundo para me acalmar. – Não vamos surtar – continuo, o mais calmo possível. – Tem que existir uma explicação lógica. As pessoas não simplesmente *desaparecem*, né?

Todos olham fixo para mim.

– Vocês sabem o que eu quero dizer – me exalto, irritado. – Todos nós sabemos que Juliette e Warner não iriam, tipo, fugir juntos. Eles nem estavam se falando antes do simpósio. Então faz mais sentido que eles tenham sido sequestrados. – Faço uma pausa. Olho em volta de novo. – Certo?

– Ou mortos – diz Ian.

– Se você continuar falando desse jeito, Sanchez, posso garantir que pelo menos uma pessoa *vai* morrer esta noite.

Ian suspira pesado.

– Escuta, não estou tentando dar uma de imbecil. Eu sei que você era próximo deles, mas vamos ser realistas: eles não eram tão próximos do restante de nós. E talvez esse fato me torne menos empenhado nessa situação toda, mas também me mantém com a cabeça mais fria.

Ele espera, me dando uma chance de responder.

Não respondo.

Ian suspira de novo.

– Só estou dizendo que talvez você esteja deixando as emoções encobrirem o seu bom senso neste momento. Sei que você não *quer* que eles estejam mortos, mas a possibilidade de que estejam *realmente* mortos é, tipo, muito alta. Warner era um traidor do Restabelecimento. Não me surpreende que eles não o tentaram matar antes. E a Juliette... Quero dizer, isso é óbvio, né? Ela assassinou Anderson e se declarou a governante da América do Norte. – Ele ergue as sobrancelhas em um sinal de compreensão. – Aqueles dois estão com alvos nas costas há meses.

Aperto os maxilares. Relaxo. Aperto novamente.

– Então – Ian diz baixinho. – Temos que ser inteligentes quanto a isso. Se eles estiverem mortos, precisamos pensar nos nossos próximos passos. Para onde vamos?

– Espere... o que você quer dizer? – pergunta Adam, sentando-se mais para a frente. – Que próximo passo? Você acha que temos que sair daqui?

– Sem Warner e Juliette, não acho que estejamos seguros aqui. – Lily pega a mão de Ian em uma demonstração de apoio emocional que faz com que me sinta violento. – Os soldados fizeram aliança com eles dois; em especial com a Juliette. Sem ela, não acho que vão nos seguir para lugar nenhum.

– E, se o Restabelecimento assassinou a Juliette – acrescenta Ian –, eles com certeza estão apenas começando. Vão vir reclamar o Setor 45 a qualquer segundo. Nossa melhor chance de sobrevivência é primeiro considerar o que é melhor para a nossa equipe. Já que somos os próximos alvos óbvios, acho que deveríamos dar o fora. Logo. – Uma pausa. – Talvez até mesmo esta noite.

– Cara, você está maluco? – Desabo em uma cadeira com força demais, sentindo que eu poderia começar a gritar. – Não podemos apenas dar o fora. Temos que procurar por eles. Precisamos planejar uma missão de resgate agora mesmo!

Todos simplesmente me encaram. Como se eu é que tivesse enlouquecido.

– Castle, senhor? – digo, tentando, mas fracassando em evitar o toque ferino na minha voz. – Quer participar da conversa?

Porém, Castle se encolheu em sua cadeira. Ele está olhando para o alto, na direção do teto, para o nada. Ele parece atordoado.

Não tenho chance de pensar muito nisso.

– Kenji – Alia diz baixinho. – Sinto muito, mas Ian está certo. Acho que não estamos mais seguros aqui.

– Não vamos embora – Adam e eu falamos ao mesmo tempo.

Giro no lugar, surpreso. Raios de esperança disparam dentro de mim, rápidos e fortes. Talvez Adam sinta mais por Juliette do que deixa transparecer. Talvez Adam vá surpreender a todos nós. Talvez ele enfim pare de se esconder, pare de se acovardar nos bastidores. *Talvez*, penso, Adam esteja de volta.

– Obrigado – digo, e aponto para ele em um gesto que diz para todos:

Estão vendo? Isso é lealdade.

– James e eu não vamos mais fugir – diz Adam, seus olhos tornando-se frios enquanto fala. – Vou entender se vocês tiverem que partir, mas James e eu vamos ficar aqui. Eu era um soldado do Setor 45. Vivi nesta base. Talvez eles me deem imunidade.

Enrugo a testa.

– Mas...

– James e eu não vamos embora – Adam repete. Alto. Em tom definitivo. – Vocês podem fazer seu plano sem nós. De qualquer forma, estamos encerrando a noite. – Adam se levanta e se vira para o irmão. – É hora de nos preparar para a cama.

James olha fixo para o chão.

– James – chama Adam, um tom suave de aviso em sua voz.

– Quero ficar e ouvir – diz James, cruzando os braços. – Você pode ir para a cama sem mim.

– *James...*

– Mas tenho uma teoria – diz o menino de dez anos. Ele pronuncia a palavra "teoria" como se fosse novinha em folha para ele, como se fosse um som interessante em sua boca. – E quero contar para o Kenji.

Adam parece tão tenso que a rigidez em seus ombros está *me* deixando estressado. Acho que não estava prestando atenção o suficiente nele, porque não percebi até este momento que Adam parece muito mais do que cansado. Ele parece destruído. Como se pudesse desabar, se partir ao meio a qualquer momento.

Do outro lado da sala, James cruza o olhar com o meu: seus olhos arredondados e ansiosos.

Suspiro.

– Qual é a teoria, rapazinho?

O rosto de James se ilumina.

– Eu só estava pensando: talvez toda aquela matança de mentira fosse, tipo, uma distração.

Arqueio uma sobrancelha.

– Como se alguém quisesse sequestrar Warner e Juliette – diz James. – Sabe? Como você disse agora há pouco. Causar uma cena que fosse a distração perfeita, certo?

— Bem, sim — respondo, e franzo as sobrancelhas. — Eu acho. Mas por que o Restabelecimento precisaria de uma distração? Quando eles já guardaram segredos sobre o que eles querem? Se um comandante supremo quisesse levar Juliette ou Warner, por exemplo, poderiam simplesmente aparecer com uma tonelada de soldados de merda e pegar quem quisessem?

— Olha a boca! — diz Adam, ofendido.

— Foi mal. Cortem a palavra *merda* dos registros.

Adam balança a cabeça. Ele parece capaz de me estrangular. James, porém, está sorrindo, e isso é o que importa.

— Não. Não acho que eles fossem fazer assim, não com tantos soldados — James responde, com olhos azuis brilhantes. — Não se eles tivessem alguma coisa para esconder.

— Você acha que eles teriam alguma coisa a esconder? — intervém Lily. — De *nós*?

— Não sei — responde James. — Às vezes as pessoas escondem coisas. — Ele lança um olhar de uma fração de segundo para Adam quando diz isso, um olhar que faz meu pulso acelerar com medo, e estou prestes a responder, quando Lily fala antes de mim:

— Bem, é possível. Mas o Restabelecimento não tem um longo histórico de se importar com fachadas. Eles pararam de fingir se importar com a opinião pública há muito tempo. Passam por cima das pessoas pelas ruas só porque estão a fim. Acho que não estão preocupados em esconder coisas da gente.

Castle dá risada, alto, e todos giramos no lugar para encará-lo. Fico aliviado de enfim vê-lo reagir, mas ele ainda parece perdido em sua mente, em algum lugar. Ele parece estar com raiva. Realmente nunca vi Castle ficar com raiva.

— O Restabelecimento esconde muita coisa da gente — ele diz, incisivo. — E deles mesmos. — Depois de respirar fundo, demoradamente, por fim se levanta. Sorri para o menino de dez anos de forma um pouco cautelosa. — James, você é mesmo muito sábio.

— Obrigado — responde James, piscando para ele.

— Castle, senhor? — digo, minha voz saindo mais dura do que eu pretendia. — Poderia nos dizer, por favor, que diabos está acontecendo? Está sabendo de alguma coisa?

Castle suspira. Esfrega a barba por fazer em seu queixo com a palma da mão.

— Está bem. Nazeera — diz ele, virando-se na direção de nada, como se falasse com um fantasma. — Vá em frente.

Quando Nazeera aparece, materializando-se do próprio ar, não sou o único irritado. Certo, talvez eu seja o único irritado.

Mas todos os outros, pelo menos, parecem surpresos.

Estão fitando-a, entreolhando-se, e, então, todos eles — *todos eles* — se viram e olham para mim.

— Cara, você sabia disso? — Ian pergunta.

Faço uma careta.

Invisibilidade é o que *eu* faço. O que eu faço, droga.

Ninguém nunca disse que eu tinha que dividir essa habilidade com ninguém. Especialmente não com alguém como Nazeera, uma mentirosa, manipuladora...

Linda. Um ser humano lindo.

Merda.

Eu me viro e fico olhando para a parede. Não posso me deixar ser distraído por ela. Nazeera sabe que estou a fim — minha queda por ela é óbvia e evidente para todos dentro de um raio de quinze quilômetros, de acordo com Castle – e ela claramente tem usado minha idiotice para tirar vantagem.

Inteligente. Respeito a tática.

Porém, isso também significa que tenho que manter a guarda levantada quando ela está por perto. Chega de ficar encarando. Chega de ficar sonhando acordado por ela. Chega de pensar em como ela olhou para mim quando sorriu. Ou na forma como ela riu, como se fosse uma risada sincera, na mesma noite em que gritou comigo por fazer perguntas sensatas. O que, diga-se de passagem...

Não acho que eu seja louco por me perguntar em voz alta como a filha de um comandante supremo poderia se safar depois de usar um véu ilegal. Depois, ela me explicou que usa o véu como um símbolo, de vez em quando, mas que não pode usá-lo o tempo todo porque é ilegal. Quando apontei isso, Nazeera fez um inferno para mim. E depois me desprezou por ficar confuso.

Eu *ainda* estou confuso.

Ela também não está cobrindo o cabelo agora, mas ninguém parece ter registrado esse fato. Talvez já a tenham visto assim. Talvez todos além de mim já tenham tido essa conversa com ela, já tenham ouvido a história sobre usar o véu como um símbolo, de vez em quando.

De forma ilegal, quando o pai dela não estava olhando.

– Kenji – ela diz, e sua voz é tão incisiva que olho para cima, direcionando-lhe um olhar intenso a despeito das minhas próprias ordens explícitas de manter os olhos fixos na parede. Bastam apenas dois segundos de contato visual e meu coração se trai sozinho.

Aquela boca. Aqueles olhos.

– Sim. – Cruzo os braços.

Ela parece surpresa, como se não estivesse esperando me ver contrariado, e não me importo. Ela deveria saber que estou irritado. Quero que ela saiba que a invisibilidade é uma coisa minha. Que sei o quanto sou mesquinho e não me importo. Além disso, não confio nela. E digo mais: qual é a dessas filhas de comandantes supremos sendo todas lindas? É quase como se fizessem de propósito, como se fizessem esses filhos em tubos de ensaio ou alguma merda assim.

Balanço a cabeça para afastar esses pensamentos.

Cuidadosamente, Nazeera diz:

— Acho de verdade que você deveria se sentar para ouvir isso.

— Estou bem assim.

Ela franze a testa. Por um segundo, parece quase ofendida, mas, antes que eu tenha uma chance de me sentir mal a respeito disso, ela encolhe os ombros. Vira as costas.

E o que diz em seguida me parte ao meio.

Juliette

Estou sentada em uma cadeira laranja no corredor de um prédio mal iluminado. A cadeira é feita de plástico barato, as arestas ásperas e sem acabamento. O chão é revestido de um linóleo brilhante que vez ou outra gruda na sola dos meus sapatos. Sei que estou respirando alto demais, mas não consigo evitar. Sento nas minhas mãos e balanço as pernas debaixo do assento.

Bem nessa hora, um menino entra no meu campo de visão. Seus movimentos são tão discretos que só o percebo ali quando ele para bem diante de mim. Ele se inclina na parede oposta à minha, os olhos focados em um ponto à distância.

Observo-o por um momento.

Ele parece ter a minha idade, mas está vestindo um terno. Existe algo de estranho nele; é tão pálido e rígido que parece quase morto.

– Oi – digo, e tento sorrir. – Você quer se sentar?

Ele não retribui meu sorriso. Nem sequer olha para mim.

– Prefiro ficar em pé – responde em voz baixa.

– Tudo bem.

Ambos ficamos em silêncio por algum tempo.

Por fim, ele diz:
— *Você está nervosa.*

Balanço a cabeça afirmativamente. Meus olhos devem estar um pouco vermelhos de chorar, mas eu estava esperando que ninguém fosse perceber.

— *Você também está aqui para conseguir uma família?*
— *Não.*
— *Ah.* — *Desvio o olhar. Paro de balançar as pernas. Sinto meu lábio inferior tremer e eu o mordo, forte.* — *Então por que você está aqui?*

Ele dá de ombros. Vejo-o observar brevemente as três cadeiras perto de mim, mas ele não faz um esforço de se sentar.

— *Meu pai me fez vir.*
— *Ele fez você vir* aqui?
— *Fez.*
— *Por quê?*

Ele olha fixo para os sapatos e fecha a cara.
— *Não sei.*
— *Você não deveria estar na escola?*

E então, em vez de me responder, ele pergunta:
— *De onde você é?*
— *Como assim?*

O menino ergue o olhar nesse momento e encontra o meu pela primeira vez. Ele tem olhos muito incomuns. São de um verde-claro, límpido.

— *Você tem um sotaque* — *diz ele.*
— *Ah* — *respondo.* — *Sim.* — *Olho para o chão.* — *Nasci na Nova Zelândia. Era lá que eu vivia até minha mãe e meu pai morrerem.*
— *Sinto muito em saber disso.*

Faço que sim. Balanço as pernas de novo. Estou prestes a fazer outra pergunta quando a porta no fim do corredor finalmente se abre. Um homem alto de terno azul-marinho sai de lá. Ele está carregando uma valise.

É o sr. Anderson, meu assistente social.

Ele dá um enorme sorriso para mim.

– Está tudo certo para você. Sua nova família está morrendo de vontade de te conhecer. Temos mais algumas coisas para fazer antes que possa ir, mas não vai demorar mui...

Não consigo aguentar mais.

Começo a chorar bem ali, em cima do vestido novo que ele comprou para mim. Os soluços sacodem meu corpo, lágrimas pingam na cadeira laranja, no chão pegajoso.

O sr. Anderson apoia a valise e dá risada.

– Querida, não tem por que chorar. Hoje é um grande dia! Você deveria estar feliz!

Mas não consigo falar.

Sinto-me presa, presa ao assento. Como se meus pulmões tivessem colado um no outro. Consigo acalmar o choro, mas o soluço volta de repente e as lágrimas escorrem silenciosas pelas minhas faces.

– Eu quero... eu quero voltar para c-casa...

– Você vai para casa – diz ele, ainda sorrindo. – A questão é essa. E então...

– Pai.

Olho para cima ao som da voz dele. Tão baixa e séria. É o menino de olhos verdes. O sr. Anderson, percebo, é o pai dele.

– Ela está assustada – diz o menino. E, embora esteja conversando com o pai, ele está olhando para mim. – Ela está muito assustada.

– Assustada? – O sr. Anderson olha de mim para o filho, e então de novo. *– Assustada por quê?*

Esfrego o rosto. Tento, mas não consigo parar as lágrimas.

– Qual é o nome dela? – o menino pergunta. Ele ainda está me observando, e, desta vez, fito o garoto. Há algo nos olhos dele, alguma coisa que faz com que eu me sinta segura.

– Esta é Juliette – diz o sr. Anderson, e olha para mim. – Trágica – ele suspira. – Exatamente como Julieta.

Kenji

Nazeera estava certa. Eu deveria ter me sentado.

Olho para minhas mãos, observando um tremor se espalhar pelos meus dedos. Quase deixo cair a pilha de fotos que estou segurando. As fotos. As fotos que Nazeera passou entre os presentes depois de nos dizer que Juliette não é quem pensamos que é.

Não consigo desviar o olhar.

Uma garotinha morena e uma garotinha branca correndo em um campo, ambas com sorrisinhos de dentes minúsculos, cabelos longos voando ao vento, pequenas cestas cheias de morangos oscilando em seus cotovelos.

Nazeera e Emmaline na horta de morangos, está escrito no verso.

A pequena Nazeera está sendo abraçada por duas garotinhas brancas, uma de cada lado. As três estão rindo tanto que parecem prestes a cair.

Ella, Emmaline e Nazeera, está escrito.

Um close de uma garotinha sorrindo para a câmera, seus olhos enormes e azuis esverdeados, mechas compridas de cabelos castanhos macios emoldurando seu rosto.

Ella na manhã de Natal, está escrito.

– *Ella Sommers* – diz Nazeera.

Ela diz que o nome verdadeiro de Juliette é Ella Sommers, irmã de Emmaline Sommers, filha de Maximillian e Evie Sommers.

– *Alguma coisa está errada* – diz Nazeera. – Alguma coisa está acontecendo – continua. Explica que acordou há seis semanas lembrando-se de Juliette... desculpe, Ella...

– Lembrando dela. Eu estava *lembrando* dela, o que significa que eu a tinha esquecido. E, quando me lembrei de Ella – continua –, eu me lembrei de Emmaline também. Eu me lembrei de como tínhamos crescido todas juntas, como nossos pais eram amigos. Eu me lembrei, mas não entendi, não de imediato. Achei que talvez eu estivesse confundindo sonhos com memória. Na verdade, as memórias voltaram a mim tão lentamente que pensei, por um tempo, que poderia estar alucinando.

Ela diz que era impossível se livrar das "alucinações", como ela chamou, então começou a vasculhar, começou a procurar informações.

– Descobri a mesma coisa que vocês. Que aquelas duas meninas chamadas Ella e Emmaline foram doadas para o Restabelecimento e que apenas Ella foi tirada da custódia deles, então Ella recebeu um outro nome. Foi realocada. Adotada. Mas o que vocês não sabiam era que os pais que abriram mão das filhas também eram membros do Restabelecimento. Eram médicos e cientistas. Vocês não sabiam que Ella, a menina que vocês conheceram como Juliette, é a filha de Evie Sommers, a atual comandante suprema da

Oceania. Nós crescemos juntas. Ela, como nós, as outras crianças, fomos construídas para servir o Restabelecimento.

Ian solta um palavrão, alto, e Adam fica tão atônito que nem reclama.

– Isso não pode ser possível – diz Adam. – Juliette... A menina com quem estudei? Ela era... – Ele balança a cabeça. – Conheço a Juliette há anos. Ela não foi feita como você ou Warner. Ela era uma menina quieta, tímida e doce. Ela sempre era tão *boazinha*. Nunca quis machucar ninguém. Tudo o que desejava era se conectar com as pessoas. Ela estava tentando *ajudar* aquele garotinho no mercado. Mas então a situação... acabou tão mal e ela foi sugada para dentro de toda essa bagunça e tentei – ele diz, parecendo repentinamente distraído. – Tentei ajudá-la, tentei mantê-la segura. Eu queria protegê-la disso. Eu queria...

Ele se interrompe e se recompõe.

– Ela não era assim – afirma, e agora está olhando para o chão. – Não até começar a passar todo aquele tempo com Warner. Depois que o conheceu, ela apenas... Não sei o que aconteceu. Ela se perdeu, pouco a pouco. Acabou se tornando outra pessoa. – Ele ergue o olhar. – Mas ela não foi feita para ser assim, não como você. Não como Warner. Não tem como ela ser filha de uma comandante suprema... Ela não é uma assassina nata. Além disso – continua, respirando fundo –, se ela fosse da Oceania, teria um *sotaque* de lá.

Nazeera inclina a cabeça para Adam.

– A garota que você conhecia sofreu um grave trauma físico e emocional – diz ela. – Teve as memórias nativas removidas à força. Ela foi enviada para o outro lado do mundo como um espécime e convencida a viver com pais adotivos abusivos que arrancaram a vida dela. – Nazeera balança a cabeça devagar. – O Restabelecimento, Anderson, em particular, fez com que Ella nunca se lembrasse do motivo pelo qual estava sofrendo, mas não se lembrar do que havia acontecido não mudava o fato de ter acontecido. Um bando de monstros se revezou para usar e abusar repetidamente do corpo dela. E essas merdas deixam marcas.

Nazeera encara Adam.

– Talvez você não entenda – diz ela. – Eu li todos os relatórios. Invadi todos os arquivos do meu pai. Encontrei *tudo*. O que eles fizeram com Ella ao longo de doze anos é *indescritível*. Então, sim, tenho certeza de que você se lembra de uma pessoa muito diferente, mas não acho que ela tenha se tornado alguém que não era. Meu palpite é que ela enfim reuniu forças para se lembrar de quem sempre foi. E, se você não consegue entender isso, fico feliz que as coisas não tenham dado certo entre vocês dois.

Em um instante, a tensão na sala é quase sufocante.

Adam parece estar em chamas. Como se fogo pudesse literalmente sair por seus globos oculares. Como se esse pudesse ser seu novo superpoder.

Reencontro minha voz. Forço-me a dizer alguma coisa – qualquer coisa – para quebrar o silêncio.

– Então vocês, há, todos vocês sabiam sobre Adam e Juliette também, certo? Eu não sabia que vocês sabiam disso. Há. Interessante.

Nazeera vira-se lentamente no assento e me olha nos olhos.

– Você está brincando? – ela pergunta, me encarando como se eu fosse um grande idiota.

Acho que é melhor não insistir.

— Onde conseguiu essas fotos? — Alia pergunta, mudando de assunto com mais habilidade do que eu. — Como podemos confiar que elas são reais?

No início, Nazeera apenas a observa. Quando fala, parece resignada:

— Não sei como convencer vocês de que as fotos são reais. Só posso dizer que são.

O silêncio cai sobre a sala.

— E por que você se importa? — questiona Lily. — Por que devemos acreditar que você se importa com isso? Sobre Juliette... sobre *Ella*? O que você tem a ganhar ao nos ajudar? Por que trairia seus pais?

Nazeera se recosta na cadeira.

— Sei que todos vocês acham que os filhos dos comandantes supremos são um bando de psicopatas despreocupados e amorais, felizes em ser os robôs militares que nossos pais queriam que fôssemos, mas nada é tão simples e direto assim. Nossos pais são maníacos homicidas decididos a governar o mundo; essa parte é verdade. Só que a parte que ninguém parece entender é que nossos pais *escolheram* ser maníacos homicidas. Nós, por outro lado, fomos forçados a ser. E só porque fomos treinados para ser mercenários não significa que gostamos disso. Nenhum de nós teve a chance de escolher esta vida. Nenhum de nós gostava de aprender a torturar antes de aprender a dirigir. E não é loucura imaginar que às vezes até mesmo as pessoas horríveis estão procurando um caminho para sair da própria escuridão.

Os olhos de Nazeera brilham de emoção enquanto fala, e suas palavras perfuram o colete salva-vidas que envolve meu coração. As emoções me afogam novamente.

Merda.

— É realmente tão louco pensar que eu poderia me importar com as meninas que eu amava como se fossem minhas próprias irmãs? — ela continua dizendo. — Ou sobre as mentiras que meus pais me forçaram a engolir, ou sobre as pessoas inocentes que os vi assassinar? Ou talvez até algo mais simples do que isso: que eu pudesse ter aberto meus olhos certo dia e percebido que eu era parte integrante de um sistema que não estava apenas devastando o mundo, mas também aniquilando todos que habitavam nele?

Merda.

Estou sentindo, consigo sentir meu coração se esvaziar e se encher. Meu peito está apertado, como se estivesse inchado, como se meus pulmões não coubessem mais aqui. Não quero me importar com a Nazeera. Não quero sentir sua dor ou me sentir conectado a ela ou sentir *alguma coisa*. Quero apenas manter a cabeça no lugar. Manter a linha.

Eu me forço a pensar em uma piada que James me contou outro dia, um trocadilho estúpido — algo a ver com *muffins* — uma piada tão ruim que quase chorei. Foco na memória, no jeito como James riu de sua própria incapacidade de contar piadas, riu até pelo nariz, bufando com tanta força que um pouco de comida caiu de sua boca. Sorrio e olho para James, que parece prestes a dormir sentado.

Logo, o aperto no meu peito começa a diminuir.

Agora estou sorrindo, imaginando se é estranho que eu goste de piadas ruins até mais do que as boas, quando ouço Ian dizer:

— Não é que você pareça não ter coração. É só que essas fotos parecem muito convenientes. Você as preparou para mostrar. — Ele olha para a única foto que está segurando. – Essas meninas podem ser quaisquer umas.

– Olhe bem – diz Nazeera, levantando-se para ver melhor a imagem nas mãos dele. – Quem você acha que é?

Eu me inclino para a frente. Ian não está longe de mim e olha por cima do ombro. Realmente não há sentido em negar mais; a semelhança é insana.

Juliette. *Ella.*

Ela é apenas uma criança, talvez com quatro ou cinco anos, parada na frente da câmera, sorrindo. Está segurando um buquê de dentes-de-leão na direção de quem a fotografa, como se para oferecer-lhe uma flor.

E então, logo ao lado, há outra pessoa. Um menininho loiro. Tão loiro que o cabelo dele é branco. Ele olha intensamente para um único dente-de-leão em suas mãos.

Quase caio da cadeira. Juliette é uma coisa, mas isso…

– Esse é o *Warner*? – pergunto.

Adam ergue o olhar bruscamente. Ele olha de mim para Nazeera, depois vem se aproximando para analisar a foto. Suas sobrancelhas arqueadas chegam no topo da cabeça.

– De jeito nenhum – diz ele.

Nazeera encolhe os ombros.

– De jeito nenhum – Adam repete. – *De jeito nenhum.* Isso é impossível. Não há como eles se conhecerem há tanto tempo. Warner não tinha ideia de quem era Juliette antes de vir para cá. – Quando Nazeera parece indiferente, Adam continua: – Estou falando sério. Sei que você acha que estou mentindo, mas não estou errado. Eu estava *lá*. Warner literalmente me entrevistou para o trabalho de ser o companheiro de cela no hospício. Ele não sabia quem ela era. Nunca havia se encontrado com ela. Nunca havia visto seu rosto, não de perto, pelo menos. Metade do motivo pelo qual ele me escolheu para ser o colega de quarto era porque ela e eu tínhamos história, porque ele achava isso útil. Ele me interrogou por horas a respeito dela.

Nazeera dá um suspiro lento, como se estivesse cercada por idiotas.

– Quando encontrei essas fotos – ela explica a Adam –, eu não conseguia entender por que elas tinham cruzado meu caminho com tanta facilidade. Não entendi por que alguém manteria provas como estas bem debaixo do meu nariz ou as deixaria tão fáceis de encontrar. Mas agora sei que meus pais nunca esperaram que eu olhasse. Eles foram preguiçosos. Acharam que, mesmo se eu encontrasse essas fotos, nunca saberia o que estava vendo. Dois meses atrás, eu poderia ter visto essas fotos e presumido que essa menina – de uma pilha, ela pega uma foto de si mesma, que me parece ser uma versão jovem de Haider, e uma menina magra de cabelos castanhos com olhos muito azuis – fosse uma vizinha, alguém que eu conhecia, mas que nem me importava de recordar. Só que eu me lembro – diz ela. – Eu me lembro de tudo isso. Eu me lembro do dia em que nossos pais nos disseram que Ella e Emmaline haviam se afogado. Eu me lembro de chorar antes de dormir todas as noites. Eu me lembro do dia em que nos levaram para um lugar que eu achava que era um hospital. Eu lembro da minha mãe me dizendo que logo eu me sentiria melhor. E, então, eu não me lembro de *não lembrar* de mais nada. Como se o tempo, no meu cérebro, apenas tivesse dobrado sobre si mesmo. – Ela ergue as sobrancelhas. – Você entende o que estou tentando te dizer, Kent?

Ele a encara com um olhar fulminante.

– Entendo que você acha que eu sou idiota.

Ela sorri.

– Sim, entendo o que diz – ele continua, obviamente irritado. – Você está dizendo que todas as suas memórias foram apagadas, que Warner nem sequer sabe que eles se conheciam.

Ela ergue um dedo.

– Não *sabia* – ela corrige. – Ele *não* sabia até pouco antes do simpósio. Tentei avisá-lo... ele e Castle – ela diz isso olhando para Castle, que está fitando a parede. – Tentei avisar os dois de que algo estava errado, de que alguma coisa grande estava acontecendo e eu realmente não entendia o que era ou por que estava acontecendo. Warner não acreditou em mim, é claro. Não tenho certeza se Castle também não acreditou, mas não tive tempo de dar provas.

– Espere, o quê? – pergunto, sobrancelhas franzidas. – Você contou para Warner e Castle? *Antes* do simpósio? Você contou tudo isso para eles?

– Eu tentei – diz ela.

– Por que não contou para a Juliette? – pergunta Lily.

– Você quer dizer Ella.

Lily revira os olhos.

– Claro. Ella. Tanto faz. Por que não avisá-la diretamente? Por que contar para as outras pessoas?

– Eu não sabia como ela receberia a notícia – explica Nazeera. – Eu estava sondando as coisas com ela desde o momento em que cheguei aqui, e nunca consegui descobrir como ela se sentia em relação a mim. Achei que ela não confiava muito em mim. E depois de tudo que aconteceu... – ela hesita. – Nunca parecia que era o momento certo. Ela levou um tiro, estava em recuperação, e então ela e Warner terminaram, e ela simplesmente... Eu não sei. Surtou. Ela não estava muito boa da cabeça. Ela já teve que suportar um monte de revelações e não parecia estar lidando bem com isso. Eu não tinha certeza se ela aguentaria muito mais, para ser sincera, e eu estava preocupada com o que ela poderia fazer.

— Assassinar seiscentas pessoas, talvez — Ian murmura para si mesmo.

— Ei! — eu me exalto. — Ela não matou ninguém, tá? Aquilo foi algum tipo de truque de mágica.

— Foi uma distração — fala Nazeera, com firmeza. — James foi o único que enxergou o acontecimento pelo que ele realmente era. — Ela suspira. — Acho que essa coisa toda foi encenada para fazer Ella parecer volátil e desequilibrada. Aquela cena toda no simpósio sem dúvida vai enfraquecer a posição dela aqui no Setor 45, vai instilar medo nos soldados que lhe prometeram lealdade. Ela vai ser descrita como instável. Irracional. Fraca. E então... será facilmente capturada. Eu sabia que o Restabelecimento queria se livrar de Ella, mas pensei que iriam apenas transformar o setor inteiro em cinzas. Eu estava errada. Essa foi uma tática muito mais eficiente. Eles não precisaram matar um regimento de soldados excelentes e uma população de trabalhadores obedientes — diz Nazeera. — Tudo o que precisavam fazer era desacreditar Ella como líder.

— Então o que vai acontecer agora? — pergunta Lily.

Nazeera hesita. E então, com cuidado, diz:

— Assim que punirem os cidadãos e anularem completamente qualquer esperança de rebelião, o Restabelecimento vai fazer com que todos se voltem contra vocês. Vai colocar a cabeça de vocês a prêmio, ou pior: ameaçar matar seus entes queridos, se civis e soldados não entregarem vocês. Você estava certa – ela diz para Lily. – Os soldados e cidadãos juraram lealdade a Ella, e, com ela *e* Warner longe, vão se sentir abandonados. Eles não têm razão para confiar em vocês. – Uma pausa. – Eu diria que vocês têm cerca de vinte e quatro horas antes que peçam suas cabeças.

O silêncio domina a sala. Por um momento, acho que todos realmente param de respirar.

– *Merda* – diz Ian, colocando a cabeça entre as mãos.

– A realocação imediata é a melhor estratégia de ação – Nazeera acrescenta logo em seguida –, mas não sei se posso ajudar muito nesse departamento. Para onde vão agora vai ser uma escolha de vocês.

– Então o que está fazendo aqui? – pergunto, irritado. Eu a entendo um pouco melhor agora, sei que está tentando ajudar, mas isso não muda o fato de que ainda me sinto uma merda. Ou que ainda não sei como me sentir em relação a ela. – Você apareceu apenas para nos dizer que vamos morrer e é isso? – Balanço a cabeça em negação. – Muito útil, obrigado.

– Kenji – Castle fala, enfim quebrando seu silêncio. – Não há necessidade de atacar nossa convidada. – Sua voz é um som calmo e firme. Senti falta disso. – Ela realmente tentou falar comigo, me alertar, enquanto estava aqui. Como um plano de contingência – ele fala agora para a sala –, me deem um pouco de tempo. Eu tenho amigos. Não estamos sozinhos nessa resistência, como vocês bem sabem. Não há necessidade de entrarem em pânico, ainda não.

– Ainda não? – repete Ian, incrédulo.

– Ainda não – insiste Castle. Então: – Nazeera, e seu irmão? Você conseguiu convencê-lo?

Nazeera respira fundo, aliviando um pouco da tensão em seus ombros.

— Haider sabe — ela afirma para o resto de nós. — Ele também tem se lembrado de coisas sobre Ella, mas as memórias que ele tem dela não são tão fortes quanto as minhas, e ele não entendeu o que estava acontecendo com ele até a noite passada, quando decidi contar o que eu havia descoberto.

— Ei, espera — diz Ian. — Você confia nele?

— Confio nele o suficiente — ela afirma. — Além disso, percebi que ele tinha o direito de saber; ele também conhecia Ella e Emmaline, só que não estava totalmente convencido. Não sei o que ele vai decidir fazer, ainda não, mas Haider definitivamente pareceu abalado com isso, o que eu acho que é um bom sinal. Pedi que ele fizesse algumas investigações para descobrir se algum dos outros garotos também estava começando a se lembrar das coisas, e ele me confirmou que faria isso. Neste momento, isso é tudo o que tenho.

— *Onde* estão os outros garotos? — Winston pergunta, franzindo a testa. — Eles sabem que você ainda está aqui?

A expressão de Nazeera fica sombria.

— Todos os garotos deveriam se reportar assim que o simpósio terminasse. Haider já deveria estar voltando para a Ásia a essa altura. Tentei convencer meus pais que eu ficaria para trás para fazer mais reconhecimentos, mas acho que não acreditaram. Tenho certeza de que vou ter notícias dele logo, logo, mas vou lidar com isso quando acontecer.

— Então, espere... — Olho para ela e para Castle. — Você vai ficar com a gente?

– Esse não era realmente o meu plano.
– Ah – digo. – Bom. Que bom.
Ela ergue uma sobrancelha para mim.
– Você sabe o que quero dizer.
– Acho que não sei – ela responde, e de repente se irrita. – Enfim, mesmo que não fosse o *meu* plano, acho que vou ter que ficar.
Arregalo os olhos.
– O quê? Por quê?
– Porque – responde ela – meus pais mentiram para mim desde que eu era criança; roubaram minhas memórias e reescreveram minha história. Quero saber por quê. Além disso – ela respira fundo –, acho que sei onde Ella e Warner estão, e quero ajudar.

Warner

— Inferno*!*

Ouço a raiva mal contida na voz do meu pai, pouco antes de algo bater com força em outra coisa. Ele blasfema de novo.

Na porta, eu hesito.

E então, impaciente:

— O que você quer?

Sua voz é praticamente um grunhido. Luto contra o impulso de ser intimidado. Faço do meu rosto uma máscara. Neutralizo minhas emoções. E então, com cuidado, entro em seu escritório.

Meu pai está sentado à mesa dele, mas só vejo as costas da cadeira e o copo inacabado de uísque na mão esquerda. Seus papéis estão bagunçados. Noto o peso de papel no chão; o estrago na parede.

Algo deu errado.

— O senhor queria me ver — *afirmo.*

— O quê? — *Meu pai se vira na cadeira para me encarar.* — Ver você para quê?

Não digo nada. Já aprendi a essa altura que nunca devo lembrá-lo de algo que ele se esqueceu.

Enfim, ele suspira e diz:
— Certo. Sim. — E então: — Teremos que discutir isso mais tarde.
— Mais tarde? — Desta vez me esforço para esconder meus sentimentos. — O senhor disse que me daria uma resposta hoje...
— Aconteceu um imprevisto.
A raiva jorra no meu peito. Eu me esqueço de mim mesmo.
— Um imprevisto mais importante que sua esposa morrendo?
Meu pai não morde a isca. Em vez disso, ele pega uma pilha de papéis sobre a mesa e diz:
— Vá embora.
Não me movo.
— Preciso saber o que vai acontecer — digo. — Não quero ir para a capital com o senhor... Quero ficar aqui, com a mamãe...
— Caramba — diz ele, batendo o copo na mesa. — Você ouviu o que está falando? — Ele olha para mim, enojado. — Esse comportamento não é saudável. É perturbador. Nunca vi um moleque de dezesseis anos tão obcecado pela mãe.
Um calor sobe pelo meu pescoço e me odeio por isso. Odeio ele por me fazer me odiar quando murmuro:
— Não sou obcecado por ela.
Anderson balança a cabeça.
— Você é patético.
Levo o golpe emocional e o enterro. Com um pouco de esforço, consigo parecer indiferente quando digo:
— Só quero saber o que vai acontecer.
Anderson se levanta, enfia as mãos nos bolsos. Ele olha pela janela enorme do escritório, observa a cidade um pouco além.
A visão é soturna.

Autoestradas tornaram-se museus a céu aberto para os restos de veículos esquecidos. Montanhas de lixo formam cordilheiras ao longo do terreno. Aves mortas salpicam as ruas, carcaças ainda caem ocasionalmente do céu. Incêndios indomáveis ardem ao longe, com os ventos fortes atiçando as labaredas. Uma espessa camada de poluição se assentou em caráter permanente sobre a cidade, e as nuvens restantes são cinzentas, pesadas de chuva. Já começamos o processo de regular o que se passa por terreno habitável e inabitável, e seções inteiras da cidade foram desativadas. A maioria das zonas costeiras, por exemplo, foram evacuadas; as ruas e casas, inundadas; os telhados, desmoronando lentamente.

Em comparação, o interior do escritório do meu pai é um verdadeiro paraíso. Tudo ainda é novo aqui; a madeira ainda cheira a madeira, todas as superfícies estão brilhando. O Restabelecimento foi eleito e chegou ao poder há apenas quatro meses, e meu pai atualmente é o comandante e regente de um dos nossos setores novinhos em folha.

Número 45.

Uma súbita rajada de vento atinge a janela e sinto o estremecimento reverberar pela sala. As luzes falham. Ele não recua. O mundo pode estar desmoronando, mas o Restabelecimento está se saindo melhor do que nunca. Os planos deles se encaixaram mais rapidamente do que esperavam. E, mesmo que o nome do meu pai já esteja sendo cogitado para uma grande promoção – para comandante supremo da América do Norte –, nenhum sucesso parece acalmá-lo. Ultimamente, ele anda mais volátil do que o habitual.

Por fim, ele diz:

– Não tenho ideia do que vai acontecer. Nem sei se continuarão a me considerar para a promoção.

Não consigo esconder minha surpresa.

— Por que não?

Anderson sorri, infeliz, para a janela.

— Um trabalho de babá que deu errado.

— Não estou entendendo.

— Não espero que você entenda.

— Então... não vamos mais nos mudar? Não vamos para a capital?

Anderson se vira novamente.

— Não fique tão animado. Eu disse que ainda não sei. Primeiro, tenho que descobrir como lidar com o problema.

Em voz baixa, pergunto:

— Qual é o problema?

Anderson ri; seus olhos se enrugam e ele parece, por um momento, humano.

— É suficiente dizer que sua namorada está arruinando o meu maldito dia. Como de costume.

— A minha o quê? — Franzo a testa. — Pai, a Lena não é minha namorada. Eu não me importo mais com o que ela está dizen...

— A outra namorada — diz Anderson, e suspira. Ele não faz contato visual comigo desta vez. Apanha uma pasta de arquivo de sobre a mesa, abre e examina o conteúdo.

Não tenho chance de fazer outra pergunta.

Batem na porta, uma batida rápida e repentina. Ao sinal do meu pai, Delalieu entra. Ele parece bem surpreso em me ver e, por um momento, não diz nada.

— E então? — Meu pai parece impaciente. — Ela está aqui?

— S-sim, senhor. — Delalieu pigarreia. Seus olhos voam para mim novamente. — Devo trazê-la, ou o senhor prefere encontrá-la em outro lugar?

— Traga-a.
Delalieu hesita.
— Está certo disso, senhor?
Olho do meu pai para Delalieu. Algo está errado.
Meu pai encontra meus olhos quando diz:
— Falei para trazê-la.
Delalieu acena e desaparece.

Minha cabeça é uma pedra, pesada e inútil; meus olhos, cimentados no meu crânio. Mantenho a consciência por apenas alguns segundos de cada vez. Sinto cheiro de metal, sinto gosto de metal. Um ruído antigo e estrondoso fica mais alto, e então baixo, e logo alto de novo.

Botas pesadas perto da minha cabeça.

Ouço vozes, mas os sons são abafados, estão a anos-luz de distância. Não consigo me mexer. Sinto como se tivesse sido enterrado, deixado para apodrecer. Uma fraca luz alaranjada cintila por trás dos meus olhos e por apenas um segundo... só um segundo...

Não.

Nada.

Os dias parecem passar. Séculos. Só estou consciente o bastante para saber que fui fortemente sedado. Constantemente sedado. Estou sedento, desidratado a ponto de sentir dor. Eu mataria por água. Mataria.

Quando me movem, me sinto pesado, estranho a mim mesmo. Caio com força em um chão frio, a dor ricocheteando no meu corpo como se viesse de longe. Sei que logo essa dor vai me alcançar.

Logo o sedativo vai passar e ficarei sozinho com meus ossos e com essa poeira na minha boca.

Um chute rápido e duro na minha barriga, e meus olhos se abrem, a escuridão devora minha boca aberta e ofegante, infiltra-se nas órbitas dos meus olhos. Sinto-me cego e sufocado e, quando o choque enfim desaparece, meus membros desistem. Inertes.

A faísca morre.

Kenji

– Você quer me dizer que merda está acontecendo?

Eu paro, congelado no lugar, ao som da voz de Nazeera. Eu estava voltando para o meu quarto e ia fechar os olhos por um minuto. Tentar resolver de alguma forma a enorme dor de cabeça que latejava pelo meu crânio.

Finalmente, nós finalmente fizemos uma pausa.

Um breve recesso depois de horas de conversas cansativas e estressantes sobre os passos seguintes, plantas-baixas e algo sobre roubar um avião. É muito. Até mesmo Nazeera, com todas as informações privilegiadas que tem, não pôde me dar nenhuma garantia real de que Juliette – desculpe, Ella – e Warner ainda estivessem vivos, e a mera *chance* de alguém os estar torturando até a morte é, tipo, mais do que minha mente tem capacidade de lidar agora. O dia de hoje foi merda em cima de merda. Um tornado de merda. Não aguento mais. Não sei se devo sentar e chorar ou atear fogo em alguma coisa.

Castle disse que se aventuraria até a cozinha para ver como conseguir comida para nós, e essa foi a melhor notícia que ouvi durante todo o dia. Ele também disse que faria o melhor que pudesse para aplacar os soldados por um pouco mais de tempo – apenas tempo suficiente para que descobríssemos o que faríamos a seguir –, mas não posso afirmar com certeza o quanto ele pode fazer. Já era ruim o suficiente quando J levou um tiro. As horas que ela passou na ala médica também foram estressantes para nós. Naquele momento, realmente pensei que os soldados se revoltariam. Eles ficavam me parando nos corredores, gritando sobre como achavam que era para ela ser *invencível*, que aquele não era o plano, que não tinham decidido arriscar a vida por uma garota adolescente *normal* que não podia levar um tiro e, droga, ela deveria ser algum tipo de fenômeno sobrenatural, algo mais que humana...

Demorou uma eternidade para acalmá-los.

Mas agora?

Só posso imaginar como eles vão reagir quando ouvirem o que aconteceu no simpósio. Vai ser motim, é muito provável.

Suspiro com força.

– Então você só vai me ignorar?

Nazeera está a centímetros de mim. Posso senti-la rondando. Esperando. Eu ainda não disse nada. Ainda não me virei. Não é que eu não queira conversar – acho que gostaria, mais ou menos, de conversar. Talvez outro dia. Mas agora minha pilha acabou. Estou sem as piadas de James. Meus sorrisos falsos acabaram. No momento, não sou nada além de dor, exaustão e emoção crua, e não tenho mais espaço em mim para outra conversa séria. Realmente não quero fazer isso agora.

Eu também quase fugi. Estou aqui, bem na frente da minha porta. Minha mão está na maçaneta.

Posso apenas ir embora, penso.

Eu poderia ser esse tipo de cara, um tipo de cara como Warner. Um cara idiota. Apenas me mandar sem dar uma palavra. Muito cansado, não, obrigado, não quero conversar.

Me deixe em paz.

Em vez disso, desabo para a frente, apoio as mãos e a testa na porta fechada do quarto.

— Estou cansado, Nazeera.

— Não posso acreditar que você está chateado comigo.

Meus olhos se fecham. Meu nariz bate contra a madeira.

— Não estou chateado com você. Estou dormindo em pé.

— Você estava *com raiva*. Você ficou com raiva de mim por eu ter a mesma habilidade que você. Não ficou?

Solto um gemido.

— Não ficou? – ela repete, desta vez com irritação.

Não digo nada.

— *Inacreditável*. Isso é a coisa mais idiota, ridícula, *imatura*...

— É, então...

— Você sabe o quanto foi difícil para mim dizer aquilo? Você tem alguma ideia... – Ouço-a bufar, irritada, com força. – Você pode pelo menos olhar para mim quando estou falando com você?

— Não posso.

— O quê? – Ela parece surpresa. – O que você quer dizer com "não posso"?

— Não posso olhar para você.

Ela hesita.

— Por que não?

— Linda demais.

Ela ri, mas com raiva, como se pudesse me dar um soco no rosto.

— Kenji, estou tentando falar sério com você. Isso é importante para mim. Esta é a primeira vez em toda a minha vida que mostrei a outras pessoas o que posso fazer. É a primeira vez que interajo com pessoas iguais a mim. Além disso – ela prossegue –, achei que tínhamos decidido ser amigos. Talvez isso não seja um grande problema para você, mas é um grande problema para mim, porque não faço amigos com facilidade. E, neste exato momento, você está me fazendo duvidar do meu próprio julgamento.

Suspiro tão forte que quase dói.

Empurro a porta, afastando-me dela para trás, olho para a parede.

— Escuta – digo, engolindo intensamente. – Me desculpa por magoar você. Eu só... Houve um momento hoje, antes de você realmente começar a falar, em que pensei que estivesse mentindo sobre as coisas. Não entendi o que estava acontecendo. Achei que você poderia ter armado pra gente. Um monte daquelas coisas parecia louca demais para ser coincidência, mas a verdade é que conversamos por horas, e não sinto mais aquilo. Não estou mais com raiva. Desculpa. Posso ir agora?

— Claro – ela diz. – Eu só... – Sua voz some, como se Nazeera estivesse confusa, e então ela toca meu braço. Não, ela não simplesmente toca no meu braço. Ela pega meu braço. Ela envolve a mão no meu antebraço e puxa de leve.

O contato é quente e imediato. Sua pele é macia. Meu cérebro parece letárgico. Zonzo.

— Pare – digo.

Ela deixa cair a mão.

— Por que você não olha para mim? – ela insiste.

— Eu já te disse por que não vou olhar para você e você riu de mim.

Ela fica quieta por tanto tempo que me pergunto se foi embora. Finalmente, diz:

— Pensei que você estava brincando.

— Bem, eu não estava.

Mais silêncio. Então:

— Você sempre diz o que está pensando?

— Na maioria das vezes, sim. — De leve, bato a cabeça contra a porta. Não entendo por que essa garota não me deixa sofrer em paz.

— O que você está pensando agora? — pergunta.

Caramba.

Olho para cima, na direção do teto, na esperança de uma dobra no tempo, um relâmpago ou talvez até uma abdução alienígena – qualquer coisa para me tirar daqui, deste momento, desta conversa implacável e exaustiva.

Na ausência de milagres, minha frustração dispara.

— Estou pensando que quero dormir – digo, irritado. — Estou pensando que quero ficar sozinho. Acho que já te falei isso milhares de vezes, e você não me deixa mesmo que eu tenha me desculpado por ferir seus sentimentos. Então acho que o que estou realmente pensando é que *eu não entendo o que você está fazendo aqui.* Por que você se importa tanto com o que penso?

— O quê? — ela pergunta surpresa. — Eu não...

Por fim, me viro. Sinto-me um pouco desequilibrado, como se meu cérebro estivesse inundado. Há muita coisa acontecendo ao mesmo tempo. Muito para sentir. Dor, medo, exaustão. Desejo.

Nazeera dá um passo atrás quando vê meu rosto.

Ela é perfeita. Perfeita em tudo. Pernas longas, curvilínea. Seu rosto é uma loucura. Rostos não deveriam ser assim. Olhos brilhantes cor de mel e pele como o crepúsculo. Seu cabelo é tão marrom que é quase preto. Grosso, pesado, liso. Ela me faz lembrar de algo, de um sentimento que nem sei descrever. E há algo sobre ela que me deixou idiota. Bêbado, como se eu só pudesse olhar para ela e ser feliz, flutuar nesse sentimento. Então percebo, com um sobressalto, que estou olhando fixo para a boca dela outra vez.

Nunca é o que eu quero fazer. Isso simplesmente acontece.

Ela está sempre tocando a boca, batendo naquele maldito piercing de diamante no lábio, e fico apenas idiota, meus olhos seguindo cada movimento que ela faz. Ela parada, em pé na minha frente com os braços cruzados, passando o polegar distraidamente na beira do lábio inferior, e não consigo parar de olhar. Ela se assusta, de repente, quando percebe que estou olhando. Baixa as mãos ao lado do corpo e pisca para mim. Não tenho ideia do que ela está pensando.

– Eu fiz uma pergunta – digo, mas desta vez minha voz sai um pouco áspera, um pouco intensa demais. Eu sabia que deveria ter mantido os olhos fixos na parede.

Ainda assim, ela só fica olhando para mim.

– Beleza. Esqueça isso – afirmo. – Você fica me implorando para falar, mas no minuto em que *eu* te faço uma pergunta, você não diz nada. Isso é incrível.

Eu me viro de novo, alcanço a maçaneta da porta.

E então, ainda de frente para a porta, solto:

– Sabe, tenho consciência de que não usei muito tato para lidar com isso e talvez eu nunca vá ser esse tipo de pessoa. Só que não acho que você deveria me tratar assim, como se eu fosse um idiota, só porque não sei ser babaca.

– O quê? Kenji, eu não...

– *Pode parar* – falo, me afastando dela. Ela continua tocando meu braço, me tocando como se nem percebesse o que está fazendo. Ela está me deixando louco. – Não faça isso.

– Não faça o quê?

Enfim, com raiva, me viro para a frente. Estou respirando com dificuldade, meu peito subindo e descendo rápido demais.

– Pare de brincar comigo – peço. – Você não me conhece. Você não sabe nada sobre mim. Você diz que quer ser minha amiga, mas fala comigo como se eu fosse um idiota. Você me toca, sem parar, como se eu fosse uma criança, como se estivesse tentando me confortar, como se não tivesse ideia de que sou um homem adulto que pode *sentir* alguma coisa quando você coloca as mãos em mim assim.

Ela tenta falar e eu a interrompo.

– Eu não ligo para o que você acha que sabe a meu respeito, ou o quanto acha que sou estúpido, mas agora estou exausto, beleza? Acabado. Então, se você quiser um Kenji bonzinho, talvez deva me procurar de manhã, porque agora tudo o que tenho são farpas em vez de gentilezas.

Nazeera parece congelada no lugar. Atordoada. Ela me encara, seus lábios entreabertos, e estou pensando que é isso, é assim que vou morrer, ela vai puxar uma faca e me abrir, reorganizar meus órgãos, fazer um show de marionetes com meus intestinos. Que jeito de partir...

Mas quando ela por fim fala, não parece zangada. Parece um pouco sem fôlego.

Nervosa.

— Eu não acho que você seja uma criança — diz ela.

Não tenho ideia do que dizer diante disso.

Ela dá um passo à frente, pressiona as mãos contra meu torso e me transformo em uma estátua. Suas mãos parecem queimar meu corpo, o calor faz pressão entre nós, chega até a atravessar minha camiseta.

Sinto que posso estar sonhando.

Ela passa as mãos pelo meu peito e esse movimento simples é tão bom que fico repentinamente apavorado. É como se ela me magnetizasse, congelasse no lugar. Tenho medo de acordar.

— O que você está fazendo? — sussurro.

Ela ainda está olhando para o meu peito quando diz de novo:

— Eu não acho que você é uma criança.

— Nazeera.

Ela levanta a cabeça, encontra meus olhos, e sinto um lampejo de sentimentos, quente e doloroso, percorrer minha espinha.

— E eu também não acho que você é um idiota — diz ela.

Errado.

Eu sou definitivamente um idiota.

Muito idiota. Não consigo nem pensar agora.

— Tá — falo, como um idiota. Não sei o que fazer com as minhas mãos. Quer dizer, eu *sei* o que fazer com minhas mãos, só estou preocupado que, se eu a tocar, ela pode rir e, provavelmente, me matar.

Ela sorri nesse momento, um sorriso tão amplo que sinto meu coração explodir e fazer uma bagunça dentro do meu peito.

— Então você não vai tomar uma atitude? — ela diz, ainda sorrindo. — Pensei que você gostasse de mim. Pensei que essa fosse a explicação de tudo o que está acontecendo.

— *Gostar* de você? — Pisco para ela, um pouco confuso. — Eu nem te conheço.

— Ah — ela exclama, e seu sorriso desaparece. Ela começa a se afastar, não consegue encontrar meus olhos e, então, não sei o que acontece comigo...

Pego sua mão, abro a porta do meu quarto e nos tranco lá dentro.

Ela me beija primeiro.

Tenho um momento como se estivesse fora do corpo, como se eu não acreditasse que isso esteja mesmo acontecendo comigo. Não entendo o que fiz para tornar isso possível, porque, de acordo com meus cálculos, estraguei toda a situação em cem níveis diferentes e, na verdade, eu tinha certeza de que ela estava puta comigo até, tipo, cinco minutos atrás.

E então eu me mando calar a boca.

Seu beijo é suave, suas mãos, hesitantes no meu peito, mas envolvo os braços em volta de sua cintura e a beijo, beijo de verdade. Então, de alguma forma, estamos contra a parede e suas mãos estão em volta do meu pescoço e ela abre os lábios para mim, suspira na minha boca, e aquele pequeno som de prazer me enlouquece, inunda meu corpo com calor e um desejo tão intenso que mal posso suportar.

Nós nos separamos, respirando ofegantes, e a encaro como um idiota, meu cérebro ainda muito entorpecido para entender exatamente como cheguei aqui. Se bem que, quem se importa com como cheguei aqui? Eu a beijo de novo e isso quase me mata. A sensação é tão boa, ela é tão macia. Perfeita. Ela é perfeita, se encaixa perfeitamente nos meus braços, como se fôssemos feitos para isso, como se já tivéssemos feito isso milhares de vezes, e ela tem cheiro de xampu e de algo doce. Perfume, talvez. Eu não sei. Seja o que for, está na minha cabeça agora. Matando meus neurônios.

Quando nos separamos, ela parece diferente, seus olhos mais escuros, mais profundos. Ela se afasta e, quando se vira de novo, sorri para mim e, por um segundo, acho que podemos estar pensando a mesma coisa. Mas estou errado, claro, muito errado, porque eu estava pensando em como sou o cara mais sortudo do planeta e *ela*...

Ela coloca a mão no meu peito e diz baixinho:

— Você realmente não faz o meu tipo.

Isso rouba meu fôlego. Solto os braços, que estavam ao redor de sua cintura, e dou um passo repentino e incerto para trás.

Ela se encolhe, cobre o rosto com as duas mãos.

— Eu não... putz... eu não quero dizer que você não é meu *tipo*. — Ela balança a cabeça com força. — Eu só quero dizer que normalmente eu não... eu normalmente não faço isso.

— Fazer o quê? — pergunto, ainda ofendido.

— Isso — diz ela, e gesticula entre nós. — Eu não... eu não saio por aí beijando garotos que mal conheço.

— Tá. — Franzo a testa. — Quer ir embora?

— Não. — Ela arregala os olhos.

— Então o que você quer?

— Não sei — responde, e seus olhos ficam suaves novamente. — Eu meio que só quero olhar para você por um minuto. Eu estava falando sério sobre o seu rosto – ela diz e sorri. – Você tem um rosto incrível.

De repente, sinto os joelhos amolecerem. Literalmente preciso me sentar. Ando até a minha cama e largo o corpo para trás, minha cabeça batendo no travesseiro. Parece bom demais ficar na horizontal. Se não houvesse uma mulher linda no meu quarto agora, eu já estaria dormindo.

– Só para você saber, isso não é uma indireta – digo para o teto. – Não estou tentando fazer você dormir comigo. Eu literalmente precisei deitar. Obrigado por gostar do meu rosto. Sempre achei que tinha um rosto pouco apreciado.

Ela ri e senta ao meu lado, na beira da cama, perto do meu braço.

– Você não é mesmo o que eu esperava – ela fala.

Olho para ela.

– O que você estava esperando?

– Não sei. – Ela balança a cabeça. Sorri para mim. – Acho que eu não esperava gostar tanto de você.

Meu peito fica apertado. Muito apertado. Eu me forço a me sentar, a encontrar seus olhos.

– Vem aqui – digo. – Você está muito longe.

Ela tira as botas e se aproxima, dobrando as pernas por baixo do corpo. Ela não diz uma palavra. Apenas fica olhando para mim. E então, com cuidado, toca meu rosto, a linha do meu queixo. Meus olhos se fecham, minha mente fica nadando sem rumo. Eu me inclino para trás, apoio a cabeça na parede atrás de nós. Sei que não contribui muito para autoconfiança dizer que estou muito surpreso por isso estar acontecendo, mas não consigo evitar.

Nunca pensei que teria essa sorte.

– Kenji – ela diz com a voz suave.

Abro os olhos.

– Não posso ser sua namorada.

Eu pisco algumas vezes. Sento um pouco.

– Ah – solto.

Não me ocorreu até este momento que eu poderia até querer algo assim, mas agora que estou pensando a respeito, sei que sim. Uma namorada é exatamente o que eu quero. Quero um relacionamento. Quero algo real.

– Isso entre nós nunca funcionaria, sabe? – Ela inclina a cabeça, olha para mim como se fosse óbvio, como se eu soubesse tão bem quanto ela por que as coisas nunca funcionariam entre nós. – Não estamos... – Ela faz gestos entre nossos corpos para indicar algo que não entendo. – Somos muito diferentes, né? Além disso, eu nem moro aqui.

– Certo – respondo, mas minha boca parece, de repente, entorpecida. Meu rosto todo parece entorpecido. – Você nem mora aqui.

E então, enquanto estou tentando descobrir como recuperar os estilhaços das minhas esperanças e dos sonhos aniquilados, ela sobe no meu colo. De oito a oitenta. Meu corpo não funciona direito. Dá pane.

Ela aperta o rosto na minha bochecha e me beija, suavemente, logo abaixo da mandíbula, e me sinto derreter na parede, no ar.

Não entendo mais o que está acontecendo. Ela gosta de mim, mas não quer ficar comigo. Ela não vai ficar comigo, mas senta no meu colo e me beija de um jeito que perco a consciência.

Certo. Claro.

Deixo-a me tocar do jeito que ela quer, deixo-a colocar as mãos no meu corpo e me beijar onde ela preferir. Ela me toca como se fosse minha dona, como se eu já lhe pertencesse, e não me importo. Eu meio que adoro o que está acontecendo. E deixo que ela tome a iniciativa enquanto eu puder suportar. Ela está puxando minha camiseta, passando as mãos por minha pele nua e me dizendo o quanto gosta do meu corpo, e sinto como se não pudesse respirar. Sinto muito calor. Eu me sinto delirante, mas alerta, consciente desse momento de um modo quase primitivo.

Ela me ajuda a tirar a camiseta e em seguida fica apenas olhando para mim; primeiro no meu rosto e depois no meu peito, e passa as mãos pelos meus ombros, pelos meus braços.

– Nossa – ela murmura. – Você é tão maravilhoso.

É o fim para mim.

Eu a pego do colo e a coloco de costas, e ela ofega, olha para mim como se estivesse surpresa. E então, *profundos*, seus olhos ficam profundos e escuros, e ela está olhando para minha boca, mas decido beijar seu pescoço, a curva de seu ombro.

– Nazeera – sussurro, mal reconhecendo o som da minha própria voz. – Eu te quero tanto que parece que vou morrer.

De repente, alguém está batendo na minha porta.

– Cara, aonde diabos você foi? – Ian grita. – Castle trouxe o jantar, tipo, dez minutos atrás.

Eu me sento muito rápido. Quase estiro um músculo. Nazeera ri alto, e, mesmo que ela coloque a mão na boca para abafar o som, não é rápida o suficiente.

– Hum... Oi? – Ian diz novamente. – Kenji?

– Já vou! – grito de volta.

Eu o ouço hesitar – seus passos são incertos – e então ele se foi. Deixo a cabeça cair nas mãos. De repente, tudo volta a mim de uma vez só. Por alguns minutos, esse momento com Nazeera pareceu o mundo inteiro, um alívio bem-vindo de toda a guerra, as mortes e as lutas. Mas agora, com um pouco de oxigênio no cérebro, me sinto idiota. Eu não sei o que eu estava pensando.

Juliette pode estar *morta*.

Eu me levanto. Abaixo a camiseta rapidamente, com cuidado para não fazer contato visual. Por alguma razão, não consigo olhar para Nazeera. Não me arrependo de tê-la beijado – é só que também me sinto subitamente culpado, como se estivesse fazendo algo errado. Algo egoísta e inadequado.

– Desculpa – peço. – Não sei o que deu em mim.

Nazeera está calçando as botas. Ela ergue os olhos, surpresa.

– O que você quer dizer?

– O que a gente estava… – Suspiro, fundo. – Não sei. Por um momento, esqueci de tudo o que temos que fazer. O fato de que Juliette pode estar aí em algum lugar sendo torturada até a morte. Warner pode estar morto. Teremos que fazer as malas e fugir, deixar esse lugar para trás. Deus, há tanta coisa acontecendo e eu apenas… Minha cabeça estava no lugar errado. Me desculpa.

Nazeera está de pé agora. Ela parece chateada.

– Por que você fica se desculpando comigo? Pare de se desculpar comigo.

– Você está certa. Me desculpe. – Eu estremeço. – Quero dizer… você sabe o que quero dizer. De qualquer forma, devemos ir.

— Kenji...

— Escute, você disse que não queria um relacionamento, não disse? Que não queria ser minha namorada? Você não acha que isso... — Eu imito o que ela fez antes, apontando entre nós alternadamente. — Isso poderia funcionar? Bem, então... — Eu tomo fôlego. Passo a mão pelo cabelo. — Não ser minha namorada é isso, não é? Existem apenas algumas pessoas na minha vida que realmente se importam comigo, e neste momento um dos meus melhores amigos provavelmente está sendo assassinado por um bando de psicopatas, e eu deveria estar fazendo alguma coisa.

— Eu não sabia que você e Warner eram tão próximos — ela fala baixinho.

— O quê? — Franzo a testa. — Não, estou falando da Juliette — respondo. — Ella. Sei lá.

As sobrancelhas de Nazeera disparam para o alto.

— De qualquer forma, me desculpa. Nós provavelmente deveríamos manter isso aqui profissional, né? Você não está procurando nada sério, e, para falar a verdade, não sei como ter relacionamentos casuais. Sempre acabo gostando demais, para ser honesto, então isso aqui não foi uma boa ideia.

— Ah...

— Certo? — Eu a encaro, esperando, de repente, que eu tivesse deixado de notar alguma coisa, algo mais do que o distanciamento do seu olhar. — Você não acabou de me dizer que somos diferentes demais? Que você nem mora aqui?

Ela se vira.

— Sim.

– E você mudou de ideia nos últimos trinta segundos? Sobre ser minha namorada?

Ela ainda está olhando para a parede quando diz:

– Não.

A dor sobe pela minha espinha, se acumula no meu peito.

– Então tá – respondo, e faço um sinal afirmativo com a cabeça.

– Obrigado pela sua honestidade. Tenho que ir agora.

Ela passa por mim e sai pela porta.

– Vou junto.

Juliette

Estou sentada na parte de trás de um carro da polícia há mais de uma hora. Não consegui chorar, ainda não. E não sei o que estou esperando, mas sei o que fiz e tenho certeza de que sei o que vai acontecer agora.

Eu matei um garotinho.

Não sei como fiz isso. Não sei por que aconteceu. Só sei que fui eu, minhas mãos, eu. Eu fiz aquilo. Eu.

Será que meus pais vão aparecer?

Em vez disso, três homens em uniformes militares marcham até a minha janela. Um deles abre a porta e aponta uma metralhadora no meu peito.

– Saia – ele vocifera. – Com as mãos para cima.

Meu coração disparado, o terror me impulsiona para fora do carro tão rápido que tropeço e bato o joelho no chão. Não preciso olhar para saber que estou sangrando; a dor da ferida recente já está queimando. Mordo o lábio para não gritar, me esforço para segurar as lágrimas.

Ninguém me ajuda.

Quero dizer a eles que tenho apenas catorze anos, que não sei muito sobre muitas coisas, mas sei o suficiente. Assisti a programas de TV sobre esse tipo de coisa. Sei que não podem me acusar como um adulto. Sei que não deveriam estar me tratando assim.

Mas então lembro que o mundo agora é diferente. Agora temos um novo governo, um governo que não se importa com a forma como costumávamos fazer as coisas. Talvez nada disso importe mais.

Meu coração bate mais rápido.

Sou jogada no banco de trás de um carro preto e, antes que eu perceba, estou em algum lugar novo: em algum lugar semelhante a um prédio comum de escritórios. É alto. Cinza-aço. Parece velho e decrépito – algumas de suas janelas estão rachadas – e o aspecto é deplorável.

Porém, quando entro, fico atônita ao descobrir um interior ofuscante, reluzente. Olho em volta, observo o chão de mármore, os ricos tapetes e móveis. Os tetos são altos, a arquitetura é moderna, mas elegante. É tudo de vidro, mármore e aço inoxidável.

Nunca estive em um lugar tão bonito.

E não tive nem um instante para absorver tudo antes de ser recebida por um homem magro e mais velho com cabelos castanhos muito finos.

Os soldados que me acompanhavam, um de cada lado, dão um passo para trás quando ele avança.

— Senhorita Ferrars? — ele diz.

— Sim?

— Precisa me acompanhar.

Eu hesito.

— Quem é você?

Ele me observa por um momento e depois parece tomar uma decisão.

— Pode me chamar de Delalieu.

— Tá — respondo, e a palavra desaparece em um sussurro.

Sigo Delalieu entrando em um elevador de vidro e vejo-o usar um cartão para autorizar o elevador. Quando estamos em movimento, encontro coragem para falar.

— Onde eu estou? — pergunto. — O que está acontecendo?

Sua resposta vem automaticamente.

— Você está na sede do Setor 45. Está aqui para ter uma reunião com o comandante-chefe e regente do Setor 45. — Ele não olha para mim enquanto responde, mas não há nada em seu tom que pareça ameaçador.

Faço outra pergunta:

— Por quê?

As portas do elevador apitam quando se abrem. Delalieu enfim se vira e me olha.

— Você vai descobrir daqui a pouco.

Sigo Delalieu por um corredor e espero, em silêncio, em frente a uma porta. Toc-toc. Ele passa a cabeça na fresta quando a porta se abre, anuncia sua presença e, em seguida, faz sinal para eu segui-lo.

Quando entro, fico surpresa.

Há um homem bonito em uniforme militar — suponho que seja o comandante — em pé na frente de uma mesa grande de madeira, com os braços cruzados na frente do peito. Ele me encara e, de repente, me sinto tão oprimida que percebo meu rosto corar.

Nunca vi ninguém tão bonito antes.

Baixo o olhar, envergonhada, e fito os cadarços dos meus tênis. Ainda bem que tenho o cabelo comprido. Serve como uma cortina escura e pesada, protegendo meu rosto de ser visto.

— Olhe para mim.

A ordem é nítida e clara. Ergo os olhos, nervosa, e encontro os dele. O homem tem cabelos castanhos, escuros e grossos. Olhos que parecem uma tempestade. Ele me fita por tanto tempo que sinto arrepios percorrerem minha pele. Ele não desvia o olhar, e me sinto mais apavorada segundo a segundo. Os olhos desse homem estão repletos de raiva. Trevas. Há algo genuinamente assustador nele, e meu coração começa a bater pesado.

— Você está crescendo rápido — diz.

Observo-o, confusa, mas o homem continua fitando meu rosto intensamente.

— Catorze anos de idade — ele diz em voz baixa. — Uma idade muito complicada para uma menina. — *Por fim, ele suspira. Olha para longe.* — Sempre parte meu coração partir coisas lindas.

— Eu não... eu não entendo — *respondo, me sentindo subitamente nauseada.*

Ele me olha de novo.

— Você está ciente do que fez hoje?

Eu congelo. Palavras se acumulam na minha garganta, morrem na minha boca.

— Sim ou não? — *ele pressiona.*

— Sim — *respondo rapidamente.* — Sim.

— E você sabe por que fez isso? Você sabe como fez isso?

Balanço a cabeça, meus olhos se enchendo de lágrimas.

— Foi um acidente — *sussurro.* — Eu não sabia... eu não sabia que isso...

— Alguém mais sabe sobre a sua doença?

— Não. — *Olho para ele, meus olhos arregalados, as lágrimas embaçando minha visão.* — Quero dizer, n-não, na verdade... apenas meus *pais... mas ninguém realmente entende qual é o meu problema. Nem eu entendo...*

— Você quer dizer que não planejou aquilo? Não foi sua intenção assassinar o garotinho?

— Não! — *grito e, em seguida, cubro a boca com força usando as duas mãos.* — Não — *falo em voz baixa agora.* — Eu estava tentando ajudá-lo. Ele caiu no chão e eu... eu não sabia. Eu juro que não sabia.

— Mentirosa.

Ainda estou balançando a cabeça, enxugando as lágrimas com as mãos trêmulas.

— Foi um acidente. Eu juro, eu não queria... eu não...

— Senhor. — *É Delalieu. A voz dele.*

Não percebi que ele ainda estava na sala.

Eu fungo, enxugo rapidamente meu rosto, mas minhas mãos ainda estão tremendo. Tento mais uma vez engolir as lágrimas. Me recompor.

— Senhor — *Delalieu diz com mais firmeza* —, talvez devêssemos conduzir esta entrevista em outro lugar.

— Não vejo por que isso seja necessário.

— Não quero parecer impertinente, senhor, mas realmente sinto que seria mais benéfico para o senhor conduzir essa entrevista com privacidade.

Eu me atrevo a virar e olhar para ele. E é quando percebo a terceira pessoa na sala.

Um menino.

Minha respiração fica presa na garganta com um suspiro quase audível. Uma única lágrima escapa pela minha bochecha e eu limpo, olhando para ele. É mais forte que eu, não consigo desviar o olhar. Ele tem o tipo de rosto que eu nunca vi na vida real. É mais bonito que o comandante. Mais bonito. Ainda assim, há algo desconcertante a respeito dele, algo frio e estranho em seu rosto que torna difícil olhá-lo. Ele é quase perfeito demais. Tem um queixo afiado, e maçãs do rosto afiadas, um nariz pontudo e reto. Tudo nele me lembra uma lâmina. Seu rosto é pálido. Seus olhos são de um verde deslumbrante e translúcido, e ele tem um farto cabelo dourado. E está me fitando, seus olhos arregalados com um sentimento que não consigo decifrar.

Alguém faz um ruído na garganta que anuncia uma fala.

O feitiço se quebrou.

Calor inunda meu rosto e desvio o olhar, mortificada por não tê-lo desviado antes.

Ouço o comandante resmungar com raiva em voz baixa.

— Inacreditável — diz ele. — Sempre a mesma coisa.

Olho para cima.

— Aaron — fala bruscamente. — Saia.

O garoto — seu nome deve ser Aaron — se assusta. Ele olha para o comandante por um segundo e depois olha para a porta, mas não se move.

— Delalieu, por favor, acompanhe meu filho até a saída da sala, pois ele parece incapaz de se lembrar de como mexer as pernas.

O filho *dele.*

Nossa. Isso explica o rosto.

— Sim, senhor, claro, senhor.

A expressão de Aaron é impossível de ler. Eu o pego olhando para mim, só mais uma vez, e, quando ele me vê encarando-o, franze a testa. Não é um olhar indelicado.

Ainda assim, eu me desvio.

Ele e Delalieu passam por mim quando saem, e finjo não notar quando o ouço sussurrar, conforme se afastam:

– *Quem é ela?*

– Ella? Você está bem?

Eu pisco, lentamente dissipando a teia de escuridão que obscurece minha visão. Estrelas explodem e desaparecem por trás dos meus olhos e tento me levantar, o relevo do tapete imprimindo marcas nas minhas palmas, metal cravando na minha carne. Estou usando algemas, braceletes brilhantes que emitem uma luz azul suave que tira a vida da minha pele, faz minhas próprias mãos parecerem sinistras.

A mulher na porta está olhando para mim. Ela sorri.

– Seu pai e eu achamos que você pode estar com fome – diz. – Fizemos seu jantar.

Não consigo me mexer. Meus pés parecem parafusados no lugar, os tons rosados e arroxeados das paredes e pisos me agridem de todos os lados. Estou no meio do museu bizarro que provavelmente foi meu quarto de infância – olhando para quem poderia ser minha mãe biológica – e sinto que posso vomitar. As luzes são de repente muito brilhantes; as vozes, muito altas. Alguém caminha na minha direção e o movimento parece exagerado, os passos ecoando forte e rápido em meus ouvidos. Minha visão entra e sai de foco, e as paredes parecem tremer. O chão se desloca, se inclina para trás.

Eu caio com força no chão.

Por um minuto, não ouço nada além dos meus batimentos cardíacos. Altos, tão altos, me pressionando, agredindo com uma cacofonia de sons tão perturbadora que me curvo, pressiono o rosto no tapete e grito.

Fico histérica, meus ossos tremem sob minha pele, e a mulher me pega, me vira e eu me rasgo, ainda gritando...

– Onde está todo mundo? – grito. – O que está acontecendo comigo? – grito. – Onde estou? Onde estão Warner e Kenji e, ah meu Deus, ah meu Deus, todas aquelas pessoas, todas aquelas pessoas que eu m-matei...

O vômito sobe devagar pela minha garganta, me sufocando, e tento reprimir as imagens, as horríveis imagens aterrorizantes de corpos abertos, sangue escorrendo por pedaços de carne dilacerada, e alguma coisa perfura minha mente, alguma coisa aguda e ofuscante e, de repente, estou de joelhos, derramando o conteúdo escasso do meu estômago em uma cesta rosa.

Mal consigo respirar.

Meus pulmões estão sobrecarregados, meu estômago ainda ameaça me trair e estou ofegante, minhas mãos tremendo enquanto tento me levantar. Giro no lugar, a sala se movendo mais rápido do que eu, e vejo apenas lampejos de rosa, lampejos de roxo.

Eu oscilo.

Alguém me pega de novo, desta vez novos braços, e o homem que me chama de filha me segura como se eu realmente o fosse e diz:

– Querida, você não precisa mais pensar neles. Você está segura agora.

– Segura? – Eu recuo de repente, olhos assustados. – Quem é *você*...?

A mulher pega minha mão. Aperta meus dedos ao mesmo tempo em que tento me livrar deles.

– Eu sou sua mãe – ela responde. – E decidi que é hora de você voltar para casa.

— O que... – agarro sua camisa nos meus punhos cerrados, gritando – ... você fez *com os meus amigos*? – E então eu a chacoalho, chacoalho com tanta força que ela realmente parece assustada por um segundo; em seguida, tento agarrá-la e jogá-la na parede, mas me lembro, com um sobressalto, que meus poderes foram cortados, que tenho de confiar na mera raiva e adrenalina e me viro, de repente furiosa, sentindo-me mais segura no segundo em que começo a ter alucinações, alucinações, quando

inesperadamente

ela me dá um tapa na cara.

Com força.

Eu pisco, atordoada, mas consigo me manter ereta.

— Ella Sommers – ela diz bruscamente –, você vai se recompor. – Seus olhos brilham enquanto ela me avalia. – O que é esse comportamento ridículo e dramático? Preocupada com os seus *amigos*? Essas pessoas não são seus amigos.

Minha bochecha queima e metade da minha boca parece dormente, mas eu digo:

— Sim, sim, eles são meus amig...

Ela me bate de novo.

Meus olhos se fecham. Reabrem. Sinto-me subitamente zonza.

— Somos seus pais – ela fala em um sussurro afiado. – Seu pai e eu te trouxemos para casa. Você deveria estar agradecida.

Sinto gosto de sangue. Levo a mão aos lábios. Meus dedos saem vermelhos.

— Onde está Emmaline? – Sangue está acumulando na minha boca e cuspo no chão. – Você também a sequestrou? Ela sabe o que você fez? Que você nos doou para o Restabelecimento? Vendeu nossos corpos para o mundo?

Um terceiro tapa rápido.

Sinto o impacto reverberar pelo meu crânio.

— *Como você se atreve?* — O rosto da minha mãe fica vermelho. — Como você se *atreve*? Você não tem ideia do que nós construímos, todos esses anos... Os sacrifícios que fizemos para o nosso *futuro*...

— Certo, Evie — meu pai diz, e coloca uma mão calmamente no ombro dela. — Agora tudo vai ficar bem. Ella só precisa de um pouco de tempo para se acomodar, só isso. — Ele olha para mim. — Não é verdade, Ella?

Subitamente, entendo tudo. Tudo. Subitamente sou atingida com uma força assustadora e desestabilizadora...

Fui raptada por uma dupla de malucos e talvez nunca mais veja meus amigos. Na verdade, meus amigos podem estar mortos. Meus pais podem tê-los matado. Todos eles.

A conclusão vem como um sufocamento.

Lágrimas enchem minha garganta, minha boca, meus olhos...

— Onde — digo, meu peito arfando — está Warner? O que vocês fizeram com ele?

De repente, a expressão de Evie torna-se assassina.

— Você e aquele maldito garoto. Se eu tiver que ouvir o nome dele mais uma vez...

— *Onde está Warner?* — estou gritando de novo. — Onde ele está? Onde está o Kenji? O que você fez com eles?

Evie parece subitamente esgotada. Ela aperta a ponte do nariz entre o polegar e o indicador.

– Querido – ela fala, mas não está olhando para mim; está olhando para o meu pai. – Lide com isso, por favor? Estou com uma dor de cabeça terrível e tenho várias ligações urgentes para retornar.

– Claro, meu amor. – E ele tira uma seringa do bolso e a espeta, rapidamente, no meu pescoço.

Kenji

Realmente estou começando a gostar deste salão comunitário.

Eu costumava passar por aqui o tempo todo e me perguntar por que Warner pensou que precisávamos de uma sala assim tão grande. Há diversos lugares para sentar e muito espaço para espairecer, mas sempre achei que era um desperdício de espaço. Secretamente, desejava que Warner tivesse usado essa metragem no projeto dos nossos quartos.

Agora entendo.

Quando Nazeera e eu entramos, dez minutos atrasados para a festa da pizza improvisada, todo mundo está aqui. *Brendan* está aqui. Ele está sentado em um canto sendo paparicado por Castle e Alia, e quase solto uma provocação. Não faço isso, claro, porque é óbvio que ele ainda está em recuperação, mas fico aliviado ao descobrir que ele parece bem. No geral, parece exausto, mas não está usando tipoia nem nada, então acho que as garotas não tiveram problemas quando o remendaram. Isso é um ótimo sinal.

Vejo Winston andando pela sala e eu o alcanço, bato nas costas dele.

— E aí? — digo quando ele se vira. — Você está bem?

Ele está equilibrando um par de pratos de papel, os quais já estão cedendo sob o peso de muita pizza, e ele sorri com todo o seu rosto quando responde:

— Odeio o dia de hoje. Parece uma catástrofe. Odeio tudo a respeito desse dia, exceto o fato de que Brendan está bem e temos pizza. Fora isso, hoje pode ir direto para o inferno.

— Sim. Estou sentindo bem isso. — E então, depois de uma pausa, murmuro: — Então, imagino que você nunca teve aquela conversa com Brendan, né?

Winston de repente fica vermelho.

— Eu disse que estava esperando o momento certo. Este parece ser o momento certo para você?

— Bem observado. — Suspiro. — Acho que estava apenas esperando que você tivesse boas notícias. Neste momento, todos nós poderíamos ouvir algumas boas notícias.

Winston me lança um olhar compreensivo.

— Nenhuma palavra sobre Juliette?

Balanço a cabeça em negativa. Sinto-me de repente enjoado.

— Alguém te disse que o nome verdadeiro dela é Ella?

— Fiquei sabendo — responde Winston, levantando as sobrancelhas. — Essa história toda é balela.

— Sim — respondo. — Hoje é o pior dia.

— Foda-se hoje — diz Winston.

— Não se esqueça de amanhã — continuo. — Amanhã também vai ser uma porcaria.

— O quê? Por quê? — Os pratos de papel nas mãos de Winston estão ficando translúcidos com o óleo da pizza. — O que vai acontecer amanhã?

— Da última vez que ouvi, íamos pular do barco — explico. — Fugir como se nossas vidas pudessem depender disso. — Estou achando que vai ser uma porcaria.

— *Merda*. — Winston quase deixa os pratos caírem. — Está falando sério? Brendan precisa de mais tempo para descansar. — Então, depois de um segundo: — Para onde estamos indo?

— Para o outro lado do continente, pelo visto — esclarece Ian ao se aproximar.

Ele me entrega um prato de pizza. Murmuro um rápido agradecimento e olho para a pizza, me perguntando se eu seria capaz de enfiar a coisa toda na minha boca de uma só vez. Provavelmente não.

— Você sabe de alguma coisa que não sabemos? — Winston questiona Ian, com os óculos escorregando pela ponta do nariz. Winston tenta, sem sucesso, empurrá-los de volta no lugar com o antebraço, e Ian se aproxima para fazer isso por ele.

— Sei de muitas coisas que você não sabe — diz Ian. — A primeira dessas coisas é que o Kenji estava se atracando com a Nazeera cinco segundos atrás.

Minha boca quase se abre antes que me lembre de que há comida nela. Engulo muito rápido e engasgo. Ainda estou tossindo enquanto olho em volta, em pânico de que Nazeera possa estar ouvindo em algum lugar por perto. Só quando a vejo do outro lado da sala conversando com Sonya e Sara enfim relaxo.

Olho para Ian.

— Qual é o seu problema, cara?

Winston, pelo menos, tem a decência de sussurrar quando diz:

— Você estava se atracando com a Nazeera? Nós só ficamos longe algumas horas!

— Eu não me atraquei com a Nazeera – minto.

Ian dá uma mordida na pizza.

— Não estou nem aí, cara. Não estou julgando. O mundo está pegando fogo. Se divirta.

— A gente não estava... – Suspiro, olho para longe. – Não foi assim. Não foi absolutamente nada. A gente só estava, tipo... – Faço um gesto aleatório com a mão que significa exatamente nada.

Ian levanta as sobrancelhas.

— Beleza – diz Winston, lançando-me um olhar. – A gente conversa sobre esse lance da Nazeera mais tarde. – Ele se vira para Ian. – O que vai acontecer amanhã?

— A gente vai se mandar – diz Ian. – Esteja pronto para partir ao amanhecer.

— Certo, essa parte eu ouvi – afirma Winston –, mas para onde vamos?

Ian encolhe os ombros.

— É Castle que tem as novidades – afirma. – Isso foi tudo o que eu ouvi. Ele estava esperando o Kenji e a Nazeera se vestirem de novo antes de contar os detalhes a todo mundo.

Inclino a cabeça na direção de Ian, ameaçando-o com um único olhar.

— Nada está acontecendo entre mim e a Nazeera – insisto. – Esquece isso.

— Está bem – diz ele, pegando a pizza. – Faz sentido. Quer dizer, ela nem é tão bonita assim.

Meu prato cai da mão. Pizza bate no chão. Sinto uma necessidade súbita e indesejada de dar um soco na cara de Ian.

— Você está... Você está maluco? Nem é bo... Ela é, tipo, a mulher mais linda que já vi na minha *vida*, e você está aqui dizendo que ela nem é bonita? Você fic...

— Viu o que estou dizendo? — Ian me interrompe. Ele está olhando para Winston.

— Caramba — solta Winston, olhando solenemente para a pizza no chão. — Sim, o Kenji definitivamente está mentindo.

Passo a mão pelo rosto.

— Eu odeio vocês.

— De qualquer forma — continua Ian —, ouvi dizer que as notícias de Castle têm algo a ver com Nouria.

Viro a cabeça bruscamente.

Nouria.

Quase me esqueci. Hoje de manhã, pouco antes do simpósio, as gêmeas me disseram que haviam descoberto algo — algo a ver com o veneno nas balas que atingiram Juliette — que as levava de volta a Nouria.

Porém, aconteceu tanta coisa hoje que nem tive chance de acompanhar. Descobrir o que aconteceu.

— Você ouviu isso? — Ian me pergunta, levantando uma sobrancelha. — Ao que parece, ela enviou uma mensagem. É o que as garotas estão dizendo.

— Sim — afirmo, franzindo a testa. — Ouvi dizer.

Sinceramente não tenho ideia de como isso pode ser resolvido.

Faz pelo menos dez anos desde que Castle viu sua filha Nouria pela última vez. Darrence e Jabari, seus dois filhos, foram assassinados por policiais quando se recusaram a deixar os homens entrarem em sua casa sem um mandado. Isso foi antes que o Restabelecimento assumisse o controle.

Castle não estava em casa naquele dia, mas Nouria, sim.

Ela viu tudo acontecer com os próprios olhos. Castle disse que sentiu como se tivesse perdido três filhos naquele dia. Nouria nunca se recuperou. Em vez disso, ela se segregou de tudo. Ficou apática. Parou de chegar em casa no horário normal e então, um dia, desapareceu. O Restabelecimento sempre pegava crianças da rua e as despachava para onde quer que sentissem necessidade de encher de gente. Nouria foi levada contra sua vontade; pegaram-na e a despacharam para outro setor. Castle sabia com certeza que isso havia acontecido, porque o Restabelecimento lhe enviou um recibo em nome da filha. A porcaria de um recibo.

Todos do Ponto Ômega conheciam a história do Castle. Ele sempre fez um esforço para ser honesto, para compartilhar as memórias mais difíceis e dolorosas de sua vida, para que nós não sentíssemos que estávamos sofrendo sozinhos.

Castle achou que nunca mais veria Nouria.

Então, se ela está se comunicando agora...

Bem nesse momento, Castle cruza o olhar com o meu. Ele olha para mim e depois para Nazeera. Uma sugestão de um sorriso toca seus lábios e então desaparece, sua coluna é ereta enquanto ele caminha pela sala. Ele parece bem, percebo. Ele parece alegre, vivo como eu não o vejo há anos. Seus dreads estão puxados para trás, amarrados na base do pescoço. Seu desbotado blazer azul ainda serve perfeitamente, mesmo depois de todos esses anos.

– Tenho novidades – diz ele.

Mas tenho certeza de que sei o que vem a seguir.

Nouria vive no Setor 241, a milhares de quilômetros de distância, e a comunicação intersetorial é algo quase inexistente. Apenas os grupos rebeldes são corajosos o suficiente para arriscar o envio de mensagens codificadas através do continente. Ian e Winston sabem disso. Eu sei disso.

Todo mundo sabe disso.

O que significa que Castle provavelmente está aqui para nos dizer que Nouria se rebelou.

Rá.

Tal pai, tal filha.

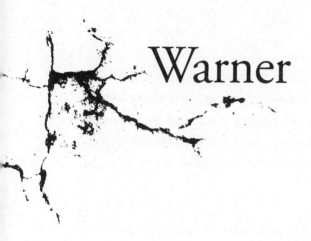

Warner

– Oi – digo.

Ela se vira ao som da minha voz e se assusta quando vê meu rosto. Seus olhos se arregalam. E logo sinto que suas emoções mudam.

Ela sente atração por mim.

Ela sente atração por mim, e a revelação me deixa feliz. Não sei por quê. Não é novidade. Eu aprendi, há muito tempo, que muitas pessoas me acham atraente. Homens. Mulheres. Especialmente mulheres mais velhas, um fenômeno que ainda não entendo. Mas isso...

Isso me faz feliz.

– Oi – ela diz, mas não olha para mim.

Percebo que ela está corando. Estou surpreso. Há algo doce nela, algo gentil e doce que eu não esperava.

– Você está indo bem aqui? – pergunto.

É uma pergunta estúpida. A garota está claramente em uma posição horrível. Só está sob a nossa custódia enquanto meu pai não decide o que fazer com ela. Por ora, ela está em um alojamento bastante confortável aqui na base, mas provavelmente acabará em um centro de detenção juvenil. Não tenho certeza. Ouvi meu pai falar *sobre fazer mais testes nela primeiro. Os pais dela aparentemente estão histéricos, desesperados para que ela fique conosco e lidemos com ela. Que ofereçamos um diagnóstico. Eles acham que ela matou o menino de propósito. Acham que a própria filha é louca.*

Acho que ela parece bem.

Não consigo parar de olhar para ela. Meus olhos percorrem seu rosto mais de uma vez, observando seus traços com cuidado. Ela parece muito familiar para mim, como se eu pudesse tê-la visto antes. Talvez em um sonho.

Tenho consciência, mesmo enquanto penso, de que meus pensamentos são ridículos.

Mas fui atraído aqui para baixo, magnetizado por ela de uma forma que está além do meu controle. Sei que não deveria ter vindo. Não tenho nada que ficar conversando com ela, e, se meu pai me encontrasse aqui, ele provavelmente me mataria. Mas tentei, por dias, esquecer o rosto dela e não consegui. Tento dormir à noite e sua imagem se materializa na escuridão. Eu precisava vê-la novamente.

Não sei como evitar.

Enfim ela fala, e me liberto do devaneio. Lembro-me que lhe fiz uma pergunta.

– *Sim, obrigada* – *ela responde, fitando o chão.* – *Estou bem.*

Ela está mentindo.

Quero que ela olhe para cima, que encontre meus olhos. Ela não faz isso e acho frustrante.

– *Você vai olhar para mim? – questiono.*

Isso funciona bem o suficiente.

Só que, quando ela me encara, sinto meu coração parar de repente, ficar terrivelmente imóvel. Pular uma batida. Quase a morte.

E depois...

Rápido. Meu coração está batendo rápido demais.

Nunca entendi minha capacidade de prestar tanta atenção nos outros, mas muitas vezes essa habilidade me serviu bem. Na maioria dos casos, me oferece uma vantagem. Neste caso, é nada menos que uma sensação esmagadora.

Agora, tudo me atinge com o dobro da força. Sinto dois conjuntos de emoções: as dela e as minhas, as duas entrelaçadas. Parece que estamos sentindo as mesmas coisas ao mesmo tempo. É desorientador, tão inebriante que mal consigo recuperar o fôlego. Sinto uma vontade incontrolável de tocá-la. Quero...

— Por quê? — ela pergunta.

Eu pisco.

— O quê?

— Por que você quer que eu olhe para você?

Respiro fundo. Clareio a cabeça, considero minhas opções. Eu poderia dizer a verdade. Eu poderia dizer uma mentira. Eu poderia ser evasivo, mudar de assunto.

Enfim, respondo:

— Eu te conheço?

Ela ri e desvia o olhar.

— Não — ela afirma. — Definitivamente não.

Ela morde o lábio e sinto seu nervosismo repentino, ouço o pico de sua respiração. Aproximo-me mais dela quase sem perceber.

Ela me observa e percebo, com certo êxtase, o quanto estamos perto. Há um calor palpável entre nossos corpos, e seus olhos são grandes e bonitos, azuis esverdeados. Como o globo, eu acho. Como o mundo inteiro.

Ela está olhando para mim e, de repente, sinto perder o equilíbrio.

– O que foi? – ela pergunta.

Tenho que me afastar.

– Eu não... – *Observo-a novamente.* – Tem certeza de que eu não te conheço?

E ela sorri. Sorri para mim e meu coração se estilhaça.

– Acredite em mim – diz ela. – Eu me lembraria de você.

Kenji

Delalieu.

Não acredito que nos esquecemos de Delalieu.

Pensei que as notícias de Castle seriam sobre Nouria. Pensei que ele ia nos falar que ela havia se comunicado para dizer que agora era algum tipo chique de líder da resistência, que seríamos bem--vindos para ficar um tempo na casa dela. Em vez disso, as notícias de Castle eram...

Delalieu.

O velho conhecido apareceu.

Castle dá um passo ao lado e permite que o tenente entre na sala e, embora pareça rígido e fora de lugar, Delalieu aparenta estar genuinamente aborrecido. Sinto isso, como um soco no estômago, quando vejo seu rosto. *Sofrimento.*

Ele faz *hum-hum* no fundo da garganta duas ou três vezes.

Quando enfim fala, sua voz é mais firme do que já ouvi.

– Vim pessoalmente para tranquilizá-los – diz ele. – Vou garantir que seu grupo permaneça seguro aqui, pelo tempo que eu conseguir. – Uma pausa. – Não sei ainda exatamente o que está acontecendo agora, mas sei que não pode ser nada bom. Fico preocupado que talvez não acabe bem se vocês permanecerem aqui por muito tempo, e estou comprometido em ajudá-los enquanto planejam sua fuga.

Todo mundo fica em silêncio.

— Hum, obrigado — respondo, quebrando o silêncio. Olho ao redor pela sala quando digo: — Nós realmente agradecemos, mas quanto tempo temos?

Delalieu balança a cabeça.

— Receio não poder garantir sua segurança por mais de uma semana, mas espero que uma trégua de alguns dias lhes proporcione o tempo necessário para decidir quais serão seus próximos passos. Encontrem um lugar seguro para ir. Enquanto isso, fornecerei a assistência que puder.

— Ok — diz Ian, mas parece cético. — Isso é muita... generosidade.

Delalieu pigarreia novamente.

— Deve ser difícil decidir se vocês devem confiar em mim ou não. Entendo as preocupações de vocês, mas temo que fiquei em silêncio por muito tempo — ele esclarece, sua voz perdendo a firmeza. — E agora... com... com o que aconteceu com Warner e com a srta. Ferrars... — Ele para, sua voz falha na última palavra. Ele ergue o olhar e me encara. — Tenho certeza de que Warner não contou a nenhum de vocês que sou o avô dele.

Meu queixo cai. De verdade, fico boquiaberto.

Castle é o único na sala que não parece chocado.

— Você é o avô de Warner? — pergunta Adam, levantando-se. O pavor em seus olhos parte meu coração.

— Sou — responde Delalieu, em voz baixa. — Por parte da mãe. — Ele encontra os olhos de Adam, reconhecendo, silenciosamente, que ele sabe. Sabe que Adam é filho ilegítimo de Anderson. Que ele sabe de tudo.

Adam se senta de novo, um alívio aparente no rosto.

– Só posso imaginar a vida infeliz que você deve ter tido – diz Brendan. Eu me viro para olhá-lo, surpreso ao ouvir sua voz. Ele andou muito quieto por todo esse tempo. Mas então, claro, Brendan seria compassivo. Mesmo para alguém como Delalieu, que lavou as mãos e não disse nada enquanto Anderson tocava fogo no mundo.

– Mas sou grato, todos somos gratos – afirma Brendan – pela sua ajuda hoje.

Delalieu consegue sorrir.

– É o mínimo que posso fazer – ele responde e se vira para ir embora.

– Você a conhece? – Lily pergunta, sua voz aguda. – Como Ella?

Delalieu estaca no lugar, ainda meio virado de frente para a saída.

– Porque, se você é o avô do Warner – diz Lily – e tem trabalhado com Anderson há tanto tempo, deve tê-la conhecido.

Lentamente, muito devagar, Delalieu se vira de frente para nós. Ele parece tenso, nervoso como nunca o vi. Ele permanece em silêncio, mas a resposta está estampada em seu rosto. A contração nas suas mãos.

Caramba.

– Quanto tempo? – pergunto, a raiva crescendo dentro de mim. – Quanto tempo faz que você a conhece e não disse nada?

– Eu não... eu n-não...

– *Quanto tempo?* – insisto, minha mão já buscando a arma enfiada no cós da minha calça.

Delalieu dá um passo brusco para trás.

– Por favor, não – diz ele, com os olhos arregalados. – Por favor, não me peça para falar disso. Posso lhes ajudar. Posso fornecer armas e transporte, qualquer coisa que precisarem, mas não posso... Vocês não entend...

– *Covarde* – acusa Nazeera, levantando-se. Ela é deslumbrante, alta, forte e firme. Adoro ficar vendo essa menina se mexer. Falar. Respirar. Tanto faz. – Você ficou olhando e não disse nada enquanto Anderson torturava os próprios filhos. Não foi?

– Não – Delalieu nega desesperadamente, seu rosto corando com emoções que nunca vi nele antes. – Não, isso não é...

Castle pega uma cadeira com um único movimento e a larga sem a menor cerimônia na frente de Delalieu.

– Sente-se – ele diz, uma raiva violenta e incontida flamejando em seus olhos.

Delalieu obedece.

– *Quanto tempo?* – pergunto outra vez. – Há quanto tempo você a conhece como Ella?

– Eu... eu... – Delalieu hesita, olha em volta. – Conheço Ella desde que ela era criança – declara por fim.

Sinto o sangue abandonar meu corpo.

Sua confissão é clara e explícita demais. Isso é muito significativo. Eu murcho sob o peso disso: das mentiras, das conspirações. Afundo de novo na cadeira e meu coração se estilhaça por Juliette, por tudo o que ela sofreu nas mãos das pessoas que deveriam protegê-la. Não consigo formar as palavras que preciso a fim de dizer a Delalieu que ele é um merda sem valor. É Nazeera que ainda tem a presença de espírito para lancetá-lo.

Sua voz é suave – letal – quando fala.

— Você conhece Ella desde criança — diz Nazeera. — Você esteve aqui, trabalhou aqui, ajudou Anderson desde que Ella era uma *criança*. Isso significa que ajudou Anderson a colocá-la sob a custódia de pais adotivos abusivos e você ficou de fora enquanto a torturavam, enquanto Anderson a torturava repetidamente...

— Não! — exclama Delalieu. — Eu não fui conivente com nada disso. Ella deveria crescer em um ambiente doméstico normal. Ela deveria ter pais carinhosos e uma educação estável. Esses foram os termos com que todos concordaram...

— Mentira — diz Nazeera, os olhos flamejando. — Você sabe tão bem quanto eu que os pais adotivos dela eram monstros...

— *Paris mudou os termos do acordo!* — grita Delalieu, com raiva.

Nazeera arqueia uma sobrancelha, sem se abalar.

Porém, algo parece ter soltado a língua de Delalieu, algo como medo, culpa ou raiva acumulados, porque, de repente, as palavras saem dele como uma enxurrada.

— Paris voltou atrás assim que Ella estava sob custódia dele — continua. — Ele achou que ninguém descobriria. Naquela época, ele e eu tínhamos basicamente a mesma posição na hierarquia do Restabelecimento. Muitas vezes trabalhamos juntos por causa de nossos laços familiares e, como resultado, ficamos a par das escolhas que ele fez.

Delalieu balança a cabeça em negativa.

— Só que descobri tarde demais que ele propositadamente escolhia pais adotivos que exibiam comportamento abusivo e perigoso. Quando o confrontei, ele argumentou que qualquer abuso que Ella sofresse nas mãos dos pais substitutos só encorajaria a manifestação dos poderes dela, e ele tinha as estatísticas para apoiar sua alegação. Tentei expressar minhas preocupações; eu o denunciei. Disse ao conselho de comandantes que ele a estava machucando, *subjugando*, mas ele fez minhas preocupações soarem como as de alguém histérico que não estava disposto a fazer o que era necessário em nome da causa.

Consigo ver a cor subindo pelo pescoço de Delalieu, sua raiva quase incontida.

– Fui derrotado repetidas vezes. Fui rebaixado. Fui punido por questionar suas táticas. Mas eu sabia que Paris estava errado – ele continua, em voz baixa. – Ella estava definhando. Quando a conheci, ela era uma garota forte com um espírito alegre. Era sempre gentil e otimista. – Ele hesita. – Não demorou muito para que se tornasse fria e fechada. Retraída. Paris subiu na hierarquia rapidamente, e logo fui relegado a pouco mais do que sua mão direita. Fui eu quem ele enviou para verificar como ela estava, em casa, na escola. Recebi ordens para monitorar seu comportamento, escrever relatórios para descrever seu progresso. Mas não houve resultados. Ela havia sido destruída em seu íntimo. Implorei a Paris que a colocasse em outro lugar, que na pior das hipóteses a recolocasse em um alojamento comum, um que eu pudesse supervisionar pessoalmente, e ainda assim ele insistiu repetidas vezes que o abuso que ela sofria estimularia resultados.

Delalieu está de pé agora, andando de um lado para o outro.

– Ele esperava impressionar o conselho, esperava que seus esforços fossem recompensados com mais uma promoção. Logo se tornou sua única tarefa aguardar, me mandar vigiar Ella de perto em busca de desdobramentos, de qualquer sinal de que ela tivesse mudado. Evoluído. – Ele para no lugar. Engole, em seco. – Mas Paris foi descuidado.

Delalieu deixa cair a cabeça nas mãos.

A sala à nossa volta ficou tão silenciosa que quase posso ouvir os segundos passarem. Estamos todos esperando que ele continue, mas ele não levanta a cabeça. Observando-o, suas mãos agitadas, o tremor nas pernas, sua perda geral de compostura – e meu coração bate acelerado no peito. Sinto que ele está no limite. Como se estivesse perto de nos contar algo importante.

– O que você quer dizer? – pergunto em voz baixa. – Descuidado como?

Delalieu levanta o olhar, os olhos avermelhados e nervosos.

– Quero dizer que era *a única tarefa dele* – ele continua, batendo o punho contra a parede. Ele bate com força, os nós dos dedos quebrando o gesso e, por um momento, fico atônito. Eu não achava que Delalieu tinha isso dentro dele.

– Vocês não entendem – ele explica, perdendo o ímpeto. Ele tropeça para trás e larga-se contra a parede. – Meu maior arrependimento na vida foi ver essas crianças sofrerem e não fazer nada a respeito.

– Espere – diz Winston. – Quais crianças? De quem você está falando?

Mas Delalieu não parece ouvi-lo. Ele só balança a cabeça.

– Paris nunca levou a missão sobre Ella a sério. Foi culpa dele ela perder o controle. Era culpa dele que ela não soubesse o que era certo, era culpa dele não ter sido preparada, treinada ou protegida adequadamente. Foi culpa dele ela ter matado aquele garotinho – ele diz, agora tão devastado que sua voz treme. – O que ela fez naquele dia quase a destruiu. Quase arruinou toda a operação. Quase nos expôs ao mundo.

Ele fecha os olhos e pressiona os dedos nas têmporas. E então afunda na cadeira. Parece ter baixado a guarda.

Castle e eu trocamos um olhar de compreensão cruzando a sala. Algo está acontecendo. Algo está prestes a acontecer.

Delalieu é um recurso que nunca percebemos que tínhamos. E, apesar de todos os seus protestos, parece que ele quer conversar. Talvez Delalieu seja a chave. Talvez ele possa nos dizer o que precisamos saber – sobre tudo. Sobre Juliette, sobre Anderson, sobre o Restabelecimento. É óbvio que uma barragem se rompeu em Delalieu. Só espero que possamos mantê-lo falando.

É Adam quem diz:

– Se você odiava tanto Anderson, por que não o impediu quando teve a chance?

– Você não entende? – questiona Delalieu, seus olhos grandes e arredondados e tristes. – Eu *nunca* tive a chance. Eu não tinha autoridade e tínhamos acabado de ser eleitos ao poder. Leila, minha filha, estava mais doente a cada dia e eu... eu não era eu mesmo. Eu estava me desfazendo. Suspeitava de algum ato maligno que tivesse provocado a doença dela, mas não tinha provas. Passei minhas horas de trabalho supervisionando a saúde física e mental de uma jovem inocente, e passei minhas horas livres vendo minha filha morrer.

– Essas são desculpas – afirma Nazeera, friamente. – Você foi um covarde.

Ele olha para cima.

— Sim — ele responde. — Isso é verdade. Eu fui covarde. — Ele balança a cabeça, vira-se de costas. — Eu não disse nada, nem mesmo quando Paris transformou a tragédia de Ella em uma vitória. Ele disse a todos que o que Ella fez com aquele menino foi uma bênção disfarçada. Isso, na verdade, era exatamente o seu objetivo. Ele argumentou que o que ela fez naquele dia, independentemente das consequências, foi a manifestação exata dos poderes dela, o que ele tinha esperado o tempo todo. — Delalieu parece subitamente estar passando mal. — Ele se safou de tudo. Tudo o que sempre quis, ele recebeu. E sempre foi imprudente. Ele fez um trabalho preguiçoso, usou Ella o tempo todo como um peão para satisfazer seus próprios desejos sádicos.

— Por favor, seja mais específico — Castle interrompe friamente. — Anderson tinha muitos desejos sádicos. A que você está se referindo?

Delalieu fica pálido. Sua voz é mais baixa, torna-se mais fraca, quando ele diz:

— Paris sempre teve um apreço perverso por destruir o próprio filho. Eu nunca entendi isso. Nunca entendi sua necessidade de minar a autoestima daquele garoto. Ele o torturou de mil maneiras diferentes, mas, quando Paris descobriu a profundidade da ligação emocional de Aaron com Ella, ele a usou para levar aquele garoto à beira da loucura.

— Foi por isso que ele atirou nela — digo, lembrando o que Juliette, Ella, me disse depois que Ponto Ômega foi bombardeado. — Anderson queria matá-la para ensinar uma lição a Warner. Certo?

Mas algo muda no rosto de Delalieu. Transforma-o, afunda-o. E então ele ri: uma risada triste e débil.

– Vocês não entendem, vocês não entendem, *vocês não entendem!* – ele grita, balançando a cabeça. – Vocês acham que esses eventos recentes são tudo. Acham que Aaron se apaixonou pela amiga de vários meses, uma garota rebelde chamada Juliette. Vocês não sabem. Vocês não sabem. Vocês não sabem que Aaron foi apaixonado por Ella pela maior parte da vida dele. Eles se conhecem desde a infância.

Adam faz um som. Um som atordoado de descrença.

– Certo, tenho que ser honesto: eu não entendo – Ian fala. Ele lança um olhar furtivo e cauteloso para Nazeera antes de dizer: – Nazeera disse que Anderson está apagando as memórias. Se isso for verdade, então como Warner poderia estar apaixonado por ela há tanto tempo? Por que Anderson apagaria as memórias deles, contaria a todos sobre como se conheciam e então apagaria as memórias de novo?

Delalieu está balançando a cabeça. Um sorriso estranho começa a se formar em seu rosto, o tipo de sorriso trêmulo e aterrorizado que na verdade não é um sorriso.

– Não. *Não.* Vocês não... – Ele suspira, olha para o lado. – Paris nunca contou a nenhum deles sobre a história que tinham em comum. A razão pela qual ele tinha que continuar apagando as memórias era porque não importava quantas vezes ele redefinisse a história ou refizesse as apresentações: Aaron sempre se apaixonava por ela. Toda vez. No começo, Paris achou que fosse um acaso. Achou quase engraçado. Divertido. Mas, quanto mais isso acontecia, mais começava a enlouquecer Paris. Ele pensou que havia algo de errado com Aaron, que havia algo de errado com ele num nível genético, que ele fosse atormentado por uma doença. Ele queria esmagar o que enxergava como uma fraqueza.

– Espere – diz Adam, levantando as mãos. – O que você quer dizer com *quanto mais acontecia*? Quantas vezes isso aconteceu?

– Pelo menos várias vezes.

Adam parece em estado de choque.

– Eles se conheceram e se apaixonaram *várias* vezes?

Delalieu respira fundo, trêmulo.

– Não sei se eles sempre se apaixonavam mesmo. Paris raramente os deixava passar tempo o suficiente sozinhos. Mas eles sempre se sentiam atraídos um pelo outro. Era óbvio que, toda vez que ele os colocava na mesma sala, eles agiam como… – Delalieu bate as mãos uma na outra – … ímãs.

Delalieu sacode a cabeça para Adam.

– Sinto muito por ser eu a lhe dizer tudo isso. Tenho certeza de que é doloroso ouvir, especialmente considerando sua história com Ella. Não é justo que você tenha sido atraído para os jogos de Paris. Ele nunca deveria ter…

– Ei, ei… Espere. Que jogos? – pergunta Adam, perplexo. – Do que você está falando?

Delalieu passa a mão pela testa suada. Parece que está derretendo, desmoronando sob a pressão. Talvez alguém devesse pegar um pouco de água.

– Há coisas demais – diz ele, cansado. – Coisas demais para contar. Muito para explicar. – Ele balança a cabeça. – Me desculpe, eu…

– Preciso que você tente – insiste Adam, seus olhos faiscando. – Você está dizendo que nosso relacionamento era falso? Que tudo o que ela disse, tudo o que ela sentia era falso?

– Não – Delalieu se apressa a responder, usando a manga da camisa para enxugar o suor do rosto. – Não. Até onde sei, os sentimentos dela por você eram tão reais quanto qualquer outra coisa. Você entrou na vida dela em um momento particularmente difícil, e sua delicadeza e afeto, sem dúvida, significaram muito para ela. – Ele suspira. – Só quero dizer que não foi coincidência ambos os garotos de Paris se apaixonarem pela mesma menina. Paris gostava de brincar com as coisas. Ele gostava de abrir as coisas para estudá-las por dentro. Ele gostava de experimentos. E Paris colocou você e Warner um contra o outro de *propósito*.

Ele continua: – Ele plantou o soldado na sua mesa de almoço que deixou escapar a informação de que Warner estava monitorando uma garota com um toque letal. Ele enviou outro para falar com você, para perguntar sobre sua história com ela, para apelar à sua natureza protetora ao discutir os planos de Aaron para ela. Você se lembra? Você foi persuadido, de todos os ângulos, a se candidatar ao cargo. Quando você o fez, Paris retirou sua inscrição da pilha e incentivou Aaron a entrevistá-lo. Ele então deixou claro que você deveria ser escolhido como o companheiro de cela dela. Ele deixou Aaron pensar que estava tomando as próprias decisões como comandante-chefe e regente do Setor 45, mas Paris estava sempre lá, manipulando tudo. Vi tudo isso acontecer.

Adam parece tão atordoado que leva um momento para falar.

– Então... ele sabia? Meu pai sempre soube a meu respeito? Sabia onde eu estava, o que eu estava fazendo?

– Sabia? – Delalieu franze a testa. – Paris *orquestrou* a vida de vocês. Esse foi o plano desde o começo. – Ele olha para Nazeera. – Todos os filhos dos comandantes supremos deveriam se tornar estudos de caso. Você foi projetado para ser soldado. Você e James – ele diz para Adam – foram inesperados, mas ele fez planos para vocês também.

– O quê? – Adam fica branco. – Qual é o plano dele para mim e James?

– Isso eu sinceramente não sei.

Adam se senta na cadeira, parecendo de repente estar passando mal.

– Onde Ella está agora? – Winston pergunta bruscamente. – Você sabe onde a estão mantendo?

Delalieu nega balançando a cabeça.

– Tudo o que sei é que ela não pode estar morta.

– O que você quer dizer com ela *não* pode estar morta? – pergunto. – Por que não?

– Os poderes de Ella e Emmaline são fundamentais para o regime – ele explica. – Fundamentais à continuação de tudo em que trabalhamos. O Restabelecimento foi construído com a promessa de Ella e Emmaline. Sem elas, a Operação Síntese não significa nada.

Castle se levanta bruscamente. Seus olhos estão arregalados.

– A Operação Síntese – repete ele, sem fôlego – tem a ver com *Ella*?

– A Arquiteta e a Executora – diz Delalieu. – Isso é...

Delalieu recua com um pequeno e surpreso suspiro, a cabeça batendo nas costas de sua cadeira. Tudo, de repente, parece desacelerar.

Sinto meu ritmo cardíaco lento. Sinto o mundo lento. Eu me sinto feito de água, observando a cena se desenrolar em câmera lenta, quadro a quadro.

Uma bala entre os olhos.

Sangue escorrendo pela testa.

Um grito curto e agudo.

– Seu traidor filho da puta – diz alguém.

Eu estou vendo, mas não acredito.

Anderson está aqui.

Juliette

Não recebo explicações.

Meu pai não me convida para jantar, como Evie prometeu. Ele não me manda sentar para me oferecer longas histórias sobre a minha presença ou a dele; ele não revela informações revolucionárias sobre a minha vida ou sobre os outros comandantes supremos, ou mesmo sobre as quase seiscentas pessoas que acabei de assassinar. Ele e Evie estão agindo como se os horrores dos últimos dezessete anos nunca tivessem acontecido. Como se *nada* de estranho tivesse acontecido, como se eu nunca tivesse deixado de ser sua filha – não da maneira que importa.

Não sei o que havia naquela agulha, mas os efeitos são diferentes de tudo que já experimentei. Sinto-me desperta e adormecida, como se estivesse rodando no lugar, como se houvesse muita graxa girando as engrenagens do meu cérebro e eu tentasse falar e percebesse que meus lábios não se movem quando recebem comandos. Meu pai carrega meu corpo inerte para um quarto ofuscantemente prateado, me apoia em uma cadeira, me prende e o pânico me invade, quente e aterrorizante, inunda minha mente. Tento gritar. Fracasso. Meu cérebro lentamente se desconecta do meu corpo, como se eu estivesse sendo removida de mim mesma. Apenas funções básicas e instintivas parecem funcionar. Engolir. Respirar.

Chorar.

Lágrimas escorrem silenciosas pelo meu rosto e meu pai assobia uma melodia, seus movimentos leves e fáceis, mesmo quando prepara um acesso intravenoso. Ele se move com uma eficiência tão surpreendente que nem percebo que ele removeu minhas algemas até eu ver o bisturi.

Um lampejo prateado.

A lâmina é tão afiada que ele não encontra resistência ao cortar linhas retas em meus antebraços, e sangue, sangue, grosso e quente, derrama-se pelos meus pulsos e pelas minhas palmas abertas e não parece real, nem mesmo quando ele gruda vários fios elétricos na minha carne exposta.

A dor chega apenas alguns segundos depois.

Dor.

Começa nos meus pés, floresce subindo pelas pernas, se desenrola no meu estômago e sobe pela garganta apenas para explodir atrás dos meus olhos, *dentro do cérebro*, e eu grito, mas só na minha mente, minhas mãos inúteis ainda inertes sobre os apoios para braços e tenho certeza absoluta de que ele vai me matar...

mas então ele sorri.

E então ele se foi.

Fico deitada em agonia pelo que parecem ser horas.

Observo, através de uma névoa delirante, o sangue escorrer das pontas dos meus dedos, cada gota alimentando as piscinas vermelhas que crescem nas dobras das minhas calças. Visões me tomam de assalto, memórias de uma garota que eu poderia ter visto, cenas com pessoas que eu poderia conhecer. Quero acreditar que são alucinações, mas não posso mais ter certeza de nada. Não sei se Max e Evie estão plantando coisas na minha mente. Não sei se posso confiar em qualquer coisa que eu tenha acreditado a meu respeito.

Não consigo parar de pensar em Emmaline.

Estou à deriva, suspensa em uma piscina de insensatez, mas alguma coisa nela continua puxando, despertando meus nervos, correntes errantes me elevando para a superfície de alguma coisa – uma revelação emocional – que treme até chegar à existência apenas para evaporar, segundos depois, como se pudesse estar com medo de existir.

Isso continua e continua e continua e continua

Anos-luz.

Eras.

de novo

e

de novo

sussurros de clareza

a r f a d a s d e o x i g ê n i o

e eu sou jogada de volta ao mar.

Brilhantes luzes brancas piscam acima da minha cabeça, zumbindo em uníssono com o murmúrio baixo e constante de motores e refrigeradores. Tudo tem cheiro acentuado, como antisséptico. A náusea faz minha cabeça nadar. Fecho os olhos, o único comando que meu corpo obedece.

Eu e Emmaline no zoológico
Eu e Emmaline, primeira viagem de avião
Eu e Emmaline aprendendo a nadar
Eu e Emmaline cortando o cabelo

Imagens de Emmaline preenchem minha mente, momentos dos primeiros anos de nossas vidas, detalhes de seu rosto que eu nunca soube que poderia conjurar na memória. Não entendo isso. Não sei de onde elas vêm. Só posso imaginar que Evie colocou essas imagens aqui, mas por que Evie quer que eu veja *isso*, não entendo. Cenas passam na minha cabeça como se eu estivesse folheando um álbum de fotos, e elas me fazem sentir falta da minha irmã. Fazem-me lembrar de Evie como minha mãe. Fazem-me lembrar que eu tinha uma família.

Talvez Evie queira que eu tenha lembranças.

Meu sangue atingiu o chão. Ouço o gotejamento familiar, o som como uma torneira quebrada, o lento

plic

plic

do líquido morno no piso.

Emmaline e eu andávamos de mãos dadas em todos os lugares a que íamos, muitas vezes vestindo roupas combinando.

Nós tínhamos o mesmo cabelo castanho longo, mas os olhos dela eram puramente azuis, e ela era alguns centímetros mais alta que eu. Tínhamos apenas um ano de diferença, mas ela parecia muito mais velha. Mesmo naquela época, havia algo em seus olhos que parecia duro. Sério. Ela segurava minha mão como se estivesse tentando me proteger. Como se talvez ela soubesse mais do que eu.

Onde você está?, me pergunto. *O que fizeram com você?*

Não tenho ideia de onde estou. Não faço ideia do que eles fizeram comigo. Nenhuma ideia da hora ou do dia, e dor em todo lugar. Sinto-me como um fio de alta tensão, como se meus nervos tivessem sido grampeados do lado de fora do meu corpo, sensíveis a cada minuto de mudança no ambiente. Expiro e isso dói. Contraio-me, perco o fôlego.

E então, subitamente, minha mãe retorna.

A porta se abre e o movimento força uma suave corrente de ar para dentro do quarto, o sussurro de uma brisa suave roçando minha pele e, de alguma forma, a sensação é tão insuportável que tenho certeza de que vou gritar.

Não grito.

— Está se sentindo melhor? — ela pergunta.

Evie está segurando uma caixa prateada. Tento olhar mais de perto, mas a dor agora está nos meus olhos. Ardendo, queimando.

— Você deve estar se perguntando por que está aqui — ela diz suavemente. Eu a ouço trabalhando em algo, vidro e metal tilintando um no outro, se afastando, tilintando, se afastando. — Mas você deve ser paciente, passarinho. Pode ser que você nem possa ficar.

Fecho os olhos.

Sinto seus dedos frios e finos no meu rosto apenas alguns segundos antes de ela puxar minhas pálpebras para trás. Rapidamente, ela substitui seus dedos por afiados grampos de aço, e consigo emitir apenas um som baixo e gutural de agonia.

— Mantenha os olhos abertos, Ella. Agora não é hora de adormecer.

Mesmo assim, naquele momento doloroso e aterrorizante, as palavras soam familiares. Estranhas e familiares. Não consigo descobrir por quê.

— Antes de fazermos planos concretos para mantê-la aqui, preciso ter certeza — ela calça um par de luvas de látex — de que você ainda é viável. Veja como você resistiu por todos esses anos.

Suas palavras disparam ondas de medo em mim.

Nada mudou.

Nada mudou.

Continuo sendo apenas um receptáculo. Meu corpo troca de mãos troca de mãos em troca do que

Minha mãe não tem amor por mim.

O que ela fez com a minha irmã?

— Onde está Emmaline? — tento gritar, mas as palavras não saem da minha boca. Elas se expandem na minha cabeça, explosivas e raivosas, pressionando contra as arestas da minha mente, ao mesmo tempo em que meus lábios se recusam a me obedecer.

Morrendo.

A palavra me ocorre de repente, como se fosse algo que acabei de lembrar: a resposta para uma pergunta que eu esqueci que existia.

Não compreendo.

Evie está na minha frente outra vez.

Ela toca meu cabelo, vasculha os fios curtos e ásperos como se estivesse procurando ouro. O contato físico é excruciante.

– Inaceitável – diz ela. – Isso é inaceitável.

Ela vira as costas, faz anotações em um tablet que tira do jaleco. Rudemente, pega meu queixo e levanta meu rosto em direção ao seu.

Evie conta meus dentes. Passa a ponta de um dedo nas minhas gengivas. Examina o interior das bochechas, a parte inferior da língua. Satisfeita, ela arranca as luvas, o látex faz sons elásticos que colidem e ecoam, estilhaçando o ar ao meu redor.

Um ruído mecânico enche meus ouvidos e percebo que Evie está ajustando minha cadeira. Eu estava em uma posição reclinada, agora estou deitada de costas. Ela leva uma tesoura às minhas roupas, corta reto pela minha calça, minha blusa, minhas mangas.

O medo ameaça rasgar meu peito, mas apenas continuo deitada, um perfeito vegetal, enquanto ela me desnuda.

Por fim, Evie recua.

Não vejo o que está acontecendo. O zumbido de um motor se transforma em um rugido. Soa como tesoura, cortando o ar. E então: camadas de vidro se materializam nas bordas da minha visão, movem-se na minha direção, vindo de todos os lados. Eles se encaixam facilmente no lugar, emendas fechando-se com um som frio de *clique*.

Estou sendo queimada viva.

Calor como nunca senti, fogo que não consigo ver nem conter. Não sei como isso está acontecendo, mas eu sinto. Eu sinto o *cheiro*. O cheiro de carne queimada enche meu nariz, ameaça despejar o conteúdo do meu estômago. A camada superior da pele está sendo lentamente queimada e descolada do meu corpo. Grânulos de sangue ao longo do meu corpo são como o orvalho da manhã, e uma fina névoa segue o calor, limpando e resfriando. O vapor embaça o vidro ao meu redor e, em seguida, quando penso que posso morrer de dor, as emendas de vidro se abrem com um suspiro repentino.

Gostaria que ela simplesmente me matasse.

Em vez disso, Evie é meticulosa. Ela cataloga todos os meus detalhes físicos, faz anotações, constantemente, em seu tablet de bolso. Na maioria das vezes, ela parece frustrada com sua avaliação. Meus braços e pernas estão muito fracos, ela diz. Meus ombros, muito tensos; meu cabelo, muito curto; minhas mãos, cheias de cicatrizes, minhas unhas, também lascadas; meus lábios, muito rachados; meu torso, longo demais.

– Nós fizemos você bonita demais – diz ela, balançando a cabeça diante do meu corpo nu. Cutuca meus quadris, a sola dos meus pés. – A beleza pode ser uma arma aterrorizante se você souber usá-la. Mas tudo isso agora parece profundamente desnecessário. – Ela faz outra anotação.

Quando olha para mim de novo, parece pensativa.

– Eu te dei isso – diz ela. – Você entende? Esse contêiner em que você vive. Eu fiz crescer, dei forma. Você pertence a mim. Sua vida pertence a mim. É muito importante que você entenda isso.

Raiva, acentuada e quente, queima meu peito.

Com cuidado, Evie abre a caixa de prata. Dentro há dezenas de cilindros finos de vidro.

— Você sabe o que são? — ela indaga, levantando alguns frascos de líquido branco brilhante. — É claro que não sabe.

Evie me observa por um momento.

— Nós fizemos errado na primeira vez — ela enfim explica. — Não esperávamos que a saúde emocional substituísse a física de maneira tão dramática. Esperávamos mentes mais fortes, de vocês duas. É claro que... — Evie hesita. — Ela era o espécime superior, sua irmã. Infinitamente superior. Você sempre teve olhos inocentes. Um pouco mais avoada do que eu gostaria. Emmaline, por outro lado, era puro fogo. Nunca sonhamos que ela fosse se deteriorar de maneira tão rápida. Os fracassos dela foram uma grande decepção pessoal.

Sugo o ar bruscamente e engasgo com algo quente e molhado na minha garganta. Sangue. Tanto sangue.

— Mas então — Evie diz com um suspiro —, essa é a situação. Devemos nos adaptar ao inesperado. Maleáveis para mudar quando necessário.

Evie aperta um botão e algo fisga dentro de mim. Sinto minha coluna ficar reta, meu queixo fica mole. O sangue agora está borbulhando na minha garganta, com toda força, e não sei se deixo subir ou se engulo. Tusso violentamente e sangue espirra no meu rosto. Nos meus braços. Pinga no meu peito, na minha pele agora rosada.

Minha mãe se agacha. Ela pega meu queixo na mão e me força a encará-la.

— Você é muito cheia de emoções — murmura. — Você sente muito por este mundo. Você chama as pessoas de amigos. Você se imagina apaixonada. — Ela balança a cabeça devagar. — Esse nunca foi o plano para você, passarinho. Você foi feita para uma existência solitária. Nós a colocamos em isolamento de propósito. – Ela pisca. – Você entende?

Mal estou respirando. Minha língua parece áspera e pesada, estranha na boca. Engulo meu próprio sangue e é nojento, grosso e morno, gelatinoso com saliva.

– Se Aaron fosse filho de outra pessoa – ela diz –, eu mandaria que o executassem. Eu o mandaria pra execução agora mesmo, se pudesse. Infelizmente, sozinha não tenho autoridade.

Uma força de sentimento toma conta do meu corpo.

Sou meio horror, meio alegria. Eu não sabia que tinha alguma esperança de que Warner estivesse vivo até esse momento.

O sentimento é explosivo.

Se enraíza dentro de mim. A esperança incendeia meu sangue, um sentimento mais poderoso que essas drogas, mais poderoso do que eu mesma. Agarro-me a ele de todo o coração e, de repente, consigo sentir as mãos. Não sei por que ou como, mas sinto uma força silenciosa subir pela minha espinha.

Evie não percebe.

– Lamento nossos erros – ela está dizendo. – Lamento os descuidos que parecem tão óbvios agora. Não poderíamos saber tantos anos atrás que as coisas acabariam assim. Não esperávamos ser surpreendidos por algo tão frágil quanto as suas emoções. Não poderíamos saber, no início, que as coisas tomariam corpo dessa forma.

Ela continua:

– Paris nos convenceu de que trazê-la para a base no Setor 45 seria benéfico para todos, que ele poderia monitorar você em um novo ambiente repleto de experiências que motivariam a evolução dos seus poderes. Seu pai e eu pensamos que era um plano estúpido, e ainda mais estúpido colocá-la sob a supervisão direta de um garoto de dezenove anos com quem sua história era... complicada. – Ela olha para longe. Sacode a cabeça. – Mas Anderson entregou resultados. Com Aaron você progrediu em uma taxa com a qual nós apenas sonhamos, e fomos forçados a deixar isso acontecer. Apesar disso – ela continua –, saiu pela culatra.

Seus olhos permanecem fixos, por um momento, na minha cabeça raspada.

– Há poucas pessoas, mesmo em nosso círculo interno, que realmente entendem o que estamos fazendo aqui. Seu pai entende. Ibrahim entende. Mas Paris, por razões de segurança, nunca ficou sabendo a seu respeito. Ele ainda não era um comandante supremo quando lhe demos o emprego e decidimos transmitir a ele somente as informações que necessitava saber. Outro erro – Evie diz, sua voz triste e aterrorizante.

Ela pressiona o dorso da mão na testa.

– Seis meses e tudo desmorona. Você foge. Você se junta a uma gangue ridícula. Você arrasta Aaron para tudo isso, e Paris, o tolo alienado, tenta *matar* você. Duas vezes. Quase cortei a garganta dele por causa da idiotice, mas minha misericórdia pode muito bem ter sido em vão, com a sua tentativa de assassiná-lo. Oh, Ella – ela suspira. – Você me causou muitos problemas este ano. Só a papelada para começar. – Ela fecha os olhos. – Estou tendo a mesma dor de cabeça lancinante há seis meses.

Ela abre os olhos. Fita-me por um longo tempo.

– E agora – ela diz, apontando para mim com o tablet na mão – tem mais essa. Emmaline precisa ser substituída, e não temos certeza se você é uma substituta adequada. Seu corpo está operando com *talvez* sessenta e cinco por cento de eficiência, e sua mente é um completo desastre. – Ela para. Uma veia salta em sua testa. – Talvez seja impossível para você entender como estou me sentindo agora. Talvez você não se importe em saber a profundidade das minhas decepções, mas você e Emmaline são o trabalho da minha vida. Fui eu quem encontrou uma maneira de isolar o gene que estava causando transformações generalizadas na população. Fui eu que consegui recriar a transformação. Eu que reescrevi seu código genético. – Ela franze a testa para mim, parecendo, pela primeira vez, uma pessoa real. Sua voz suaviza. – Eu *refiz* você, Ella. Você e sua irmã foram as maiores realizações da minha carreira. Seus fracassos – ela sussurra, tocando a ponta dos dedos no meu rosto – são os meus fracassos.

Faço um som áspero e involuntário.

Ela se levanta.

– Isso vai ser desconfortável para você. Não vou fingir que não, mas receio que não tenhamos escolha. Para que funcione, preciso que você tenha uma mente saudável, não poluída. Temos que começar de novo. Quando terminarmos, você não se lembrará de nada além do que eu disser para que se lembre. Está entendendo?

Meu coração acelera e ouço as batidas erráticas e selvagens amplificadas em um monitor próximo. Os sons ecoam pela sala como uma sirene.

– Sua temperatura está aumentando – diz Evie bruscamente. – Não há necessidade de ter pânico. Esta é a opção misericordiosa, afinal, Paris ainda está clamando para matarem você. Mas Paris... – ela hesita. – Paris às vezes é melodramático. Todos sabemos o quanto ele te odeia por conta do efeito que você exerce em Aaron. Ele culpa você, sabe? – Evie inclina a cabeça na minha direção. – Ele acha que você faz parte do motivo pelo qual Aaron é tão fraco. Honestamente, às vezes me pergunto se ele está certo.

Meu coração está batendo rápido demais agora. Meus pulmões estão prontos para explodir. As luzes brilhantes acima da minha cabeça vazam nos meus olhos, no meu cérebro...

– Agora. Vou fazer o download desta informação – ouço ela tocar na caixa de prata – diretamente na sua mente. São muitos dados para processar e seu corpo precisará de algum tempo para aceitar tudo. – Uma longa pausa. – Sua mente pode tentar rejeitar, mas cabe a você deixar as coisas seguirem seu curso, entende? Não queremos arriscar emendar o passado com o presente. É doloroso nas primeiras horas, mas, se você conseguir sobreviver a elas, seus receptores de dor começarão a falhar, e o restante dos dados deverá ser enviado sem incidentes.

Eu quero gritar.

Em vez disso, faço um som fraco e asfixiado. Lágrimas escorrem pelas minhas bochechas e minha mãe está lá, com os dedos pequenos e estranhos no meu rosto, e eu vejo, mas não consigo sentir, a agulha enorme entrando na carne macia da minha têmpora. Ela esvazia e reabastece a seringa pelo que parecem ser mil vezes, e cada vez é como estar submergida em água, como se eu estivesse me afogando lentamente, sufocando de novo e de novo e nunca, nunca me permitem morrer. Permaneço deitada, indefesa e muda, presa em uma agonia tão insuportável que não respiro, mas ofego asperamente, diante de seus olhos.

– Você está certa – ela afirma suavemente. – Talvez isso seja cruel. Talvez fosse mais gentil apenas deixá-la morrer. Mas nada disso é a seu respeito, Ella. Isso é sobre mim. E agora – ela diz, acariciando meu cabelo –, é disso que eu preciso.

Kenji

A coisa toda acontece tão depressa que levo um segundo para registrar exatamente o que se passou.

Delalieu está morto.

Delalieu está morto e Anderson está vivo.

Anderson voltou dos mortos.

Quero dizer, agora ele está no chão, enterrado sob o peso de cada peça de mobília desta sala. Castle fita, atentamente, a partir do outro lado do cômodo e, quando ouço Anderson ofegando, percebo que Castle não está tentando matá-lo; está apenas usando os móveis para contê-lo.

Eu me aproximo um pouquinho da multidão que vai se formando em torno da figura ofegante de Anderson. Então noto, com um sobressalto, que Adam está encostado na parede como uma estátua, o rosto congelado de horror.

Meu coração se parte por ele.

Estou muito feliz por Adam ter arrastado James para a cama horas atrás. Muito feliz pelo fato de o garoto não precisar ver nada disso agora.

Castle enfim atravessa a sala. Ele está parado a poucos metros de distância do corpo de Anderson quando faz a pergunta que todos estamos pensando:

– Como você ainda está vivo?

Anderson tenta um sorriso. Sai torto. Desvairado.

– Sabe o que sempre foi incrível em você, Castle? – Ele pronuncia o nome de Castle como se fosse engraçado, como se o estivesse dizendo em voz alta pela primeira vez. Ele toma um fôlego contrito e irregular. – Você é muito previsível. Gosta de colecionar animais perdidos. Você ama uma boa história triste.

Anderson grita ao exalar o ar súbita e asperamente, e percebo que Castle talvez tenha aumentado a pressão. Quando Anderson recupera o fôlego, ele diz:

– Você é um idiota. Um idiota por confiar tão facilmente.

Outro suspiro duro e doloroso.

– Quem você acha que me chamou aqui? – ele provoca, agora lutando para falar. – Quem você acha que me manteve informado – outra respiração tensa – sobre todas as coisas as quais têm discutido?

Eu congelo. Uma sensação horrível e doentia se acumula no meu peito.

Todos nos viramos, em conjunto, para encarar Nazeera. Ela está afastada do grupo, a personificação da calma, da intensidade contida. Seu rosto é inexpressivo. Ela olha para mim como se eu pudesse ser uma parede.

Por uma fração de segundo, sinto-me tão zonzo que acho que posso realmente desmaiar.

Um misto de desejo e pensamento.

É isso… é isso que faz acontecer. Uma sala cheia de pessoas extremamente poderosas e, no entanto, é este momento, este breve momento de choque, que se transforma na nossa ruína. Sinto a agulha no meu pescoço antes mesmo de registrar o que está acontecendo, e tenho apenas alguns segundos para examinar a sala – vislumbrar o horror no rosto dos meus amigos – antes que eu caia.

Warner

Estou sentado no meu escritório ouvindo um disco antigo quando recebo a ligação. Eu me preocupo, a princípio, que possa ser Lena, implorando para que voltemos, mas meu sentimento de repulsa logo se transforma em ódio quando ouço a voz do outro lado da linha. Meu pai. Ele quer que eu desça.

O mero som de sua voz me enche de uma sensação tão violenta que levo um minuto para me controlar.

Faltam dois anos.

Dois anos me tornando o monstro que meu pai sempre quis que eu fosse. Olho no espelho, me odeio com uma intensidade nova e profunda que nunca experimentei antes. Toda manhã acordo só esperando morrer. Encerrar esta vida, estes dias.

Ele sabia, quando fez esse acordo, o que estava me pedindo. Eu não sabia. Eu tinha dezesseis anos, ainda jovem o suficiente para acreditar na esperança, e ele se aproveitou da minha ingenuidade. Ele sabia o que isso faria comigo. Sabia como iria me destruir. E foi tudo o que ele sempre desejou.

Minha alma.

Vendi a alma em troca de alguns anos com minha mãe e, agora, depois de tudo, nem sei se valerá a pena. Não sei se conseguirei salvá-la. Fiquei longe por muito tempo. Perdi muita coisa. Minha mãe agora está pior e nenhum médico é capaz de ajudá-la. Nada ajudou. Meus esforços foram absolutamente inúteis.

Desisti de tudo – por nada.

Gostaria de saber como esses dois anos me mudariam. Eu gostaria de saber o quão difícil seria viver comigo mesmo, olhar-me no espelho. Ninguém me avisou sobre os pesadelos, os ataques de pânico ou os pensamentos sombrios e destrutivos que viriam na sequência. Ninguém me explicou como a escuridão funciona, como se alimenta de si mesma ou como apodrece. Mal tenho me reconhecido. Tornar-se um instrumento de tortura destruiu o que restava da minha mente.

E agora isto: sinto-me vazio o tempo todo. Oco.

Além da redenção.

Eu não queria voltar aqui. Gostaria de andar oceano adentro. Desaparecer no horizonte. Queria sumir.

Claro, ele nunca deixaria isso acontecer.

Ele me arrastou de volta até aqui e me deu um título. Fui recompensado por ser um animal. Celebrado pelos meus esforços como um monstro. Não importa o fato de eu acordar no meio de todas as noites estrangulado por medos irracionais e uma violenta ânsia de pôr para fora o conteúdo do meu estômago.

Não importa que eu não consiga tirar essas imagens da minha cabeça.

Olho para a cara garrafa de uísque que meu pai deixou para mim no quarto e me sinto subitamente enojado. Não quero ser como ele. Não quero o seu ópio, sua forma preferida de esquecimento.

Pelo menos, em breve, meu pai terá partido. Qualquer dia, ele terá desaparecido e esse setor se tornará meu domínio. Enfim estarei sozinho.
Ou algo próximo disso.
Relutante, visto meu blazer e desço pelo elevador.

Quando chego aos seus aposentos, de acordo com o pedido, meu pai me lança apenas o mais breve olhar.
— Que bom — diz ele. — Você veio.
Não falo nada.
Ele sorri.
— Onde estão seus modos? Você não vai cumprimentar nossa convidada?
Confuso, sigo a linha do seu olhar. Há uma jovem sentada em uma cadeira no canto mais distante da sala e, a princípio, não a reconheço.
Quando me lembro dela, o sangue some do meu rosto.
Meu pai ri.
— Vocês dois lembram um do outro, não lembram?
Ela estava sentada tão quieta, tão imóvel e pequena que quase não a notei. Meu coração morto dá um salto com a visão de sua estrutura pequena, uma centelha de vida tentando, desesperadamente, se acender.
— Juliette — sussurro.
Minha última lembrança dela foi de dois anos atrás, pouco antes de eu sair de casa para cumprir a tarefa doentia e sádica de meu pai. Ele a arrancou para longe de mim. Literalmente a arrancou dos meus braços. Nunca vi esse tipo de raiva em seus olhos, não desse jeito, não sobre algo tão inocente.
Mas ele ficou louco.
Perdeu a cabeça.

Ela e eu não tínhamos feito mais do que conversar um com o outro. Comecei a entrar sorrateiramente no quarto dela sempre que podia sair e enganar as câmeras para nos dar privacidade. Nós conversávamos, às vezes por horas. Ela havia se tornado minha amiga.

Nunca toquei nela.

Ela disse que, depois do que aconteceu com o garotinho, teve medo de tocar nas pessoas. Falou que não entendia o que estava acontecendo com ela e não confiava mais em si. Perguntei se gostaria de me tocar, fazer um teste e ver se algo ocorreria; ela parecia assustada e a tranquilizei para que não se preocupasse. Prometi que tudo ficaria bem. Quando peguei sua mão, hesitante, esperando pelo desastre...

Nada aconteceu.

Nada aconteceu, mas ela começou a chorar. Jogou-se nos meus braços e chorou dizendo estar com medo de que havia algo de errado com ela, que ela houvesse se transformado em um monstro...

Nós só tivemos um mês juntos.

Mas havia algo nela que parecia certo para mim desde o começo. Confiei nela. Era como se ela fosse familiar, como se eu a conhecesse desde sempre. Embora eu soubesse que esse era um pensamento meio dramático... então guardei aquilo para mim.

Ela me contou sobre sua vida. Seus pais horríveis. Compartilhou seus medos comigo, então compartilhei os meus. Contei sobre a minha mãe, como eu não sabia o que estava acontecendo com ela, como eu estava preocupado que ela fosse morrer.

Juliette se importava comigo. Me escutava de um jeito que ninguém mais escutava.

Foi o relacionamento mais inocente que já tive, mas significou mais para mim do que qualquer outra coisa. Pela primeira vez em anos, me senti menos sozinho.

No dia em que descobri que ela estava finalmente sendo transferida, puxei-a para perto e a abracei. Pressionei meu rosto em seu cabelo, respirei seu cheiro e ela chorou. Afirmou que estava com medo e prometi que tentaria fazer alguma coisa; prometi conversar com meu pai, mesmo sabendo que ele não se importaria...

E então, de repente, ele estava lá.

Meu pai arrancou-a dos meus braços, e notei que ele usava luvas.

— Que diabos você está fazendo? — ele gritou. — Você perdeu a cabeça? Você se perdeu completamente?

— Pai — falei, entrando em pânico. — Nada aconteceu. Eu só estava me despedindo dela.

Seus olhos se arregalaram, ficaram redondos de choque. E, quando ele falou, suas palavras eram sussurros.

— Você estava apenas... Você estava se despedindo *dela?*

— Ela vai embora — respondi, estupidamente.

— Você acha que não sei disso?

Engoli em seco.

— Merda — disse ele, passando a mão pela boca. — Há quanto tempo você vem fazendo isso? Há quanto tempo você desce aqui?

Meu coração estava acelerado. O medo pulsou dentro de mim. Eu estava balançando a cabeça, incapaz de falar.

— O que você fez? — meu pai questionou, os olhos faiscando. — Você tocou nela?

— Não. — A raiva me percorreu, devolvendo a minha voz, meu rosto ficando vermelho de vergonha. — Não, claro que não.

— *Tem certeza?*

— *Pai, por que o senhor está...* — Balancei a cabeça, confuso. — *Não entendo por que está tão irritado. O senhor vem me empurrando para Lena há meses, mesmo que eu tenha dito uma centena de vezes que não gosto dela, mas agora, quando posso de verdade...* — Hesitei, olhando para Juliette, o rosto meio escondido atrás do meu pai. — *Eu só estava começando a conhecê-la. Só isso.*

— *Você só estava começando a conhecê-la?* — Ele me encarou, transtornado. — *De todas as garotas do mundo, você se apaixona por essa? A assassina de crianças que está às portas da prisão? O provável teste insano do tubo de ensaio? O que há de errado com você?*

— *Pai, por favor, não aconteceu nada. Somos apenas amigos. Nós só conversamos de vez em quando.*

— *Apenas amigos* — disse ele, e riu. O som era demente. — *Sabe de uma coisa? Vou deixar você levar isso. Vou deixar você ficar com esta aqui enquanto estiver fora. Deixe ficar com você. Deixe isso te ensinar uma lição.*

— *O quê? Levar o que comigo?*

— *Um aviso.* — Ele me fulminou com um olhar letal. — *Tente algo assim novamente* — ele ameaçou —, *e vou matá-la. Me certificarei de que você vai assistir.*

Fitei-o, meu coração batendo no peito. Isso era uma loucura. Nós nem tínhamos feito nada. Eu sabia que meu pai provavelmente estaria com raiva, mas nunca pensei que ele ameaçaria matá-la. Se eu soubesse, nunca arriscaria. E agora...

Minha cabeça estava girando. Eu não entendia. Ele a arrastava pelo corredor e eu não entendia.

De repente, ela gritou.

Ela gritou e permaneci inerte enquanto ele a arrastava para longe. Ela chamou meu nome – gritou por mim – e ele a sacudiu, disse para calar a boca, e senti algo dentro de mim morrer. Senti aquilo acontecendo. Senti algo se quebrando dentro de mim enquanto eu a observava ir embora.

Nunca me odiei tanto. Nunca fui mais covarde do que naquele dia.

E agora aqui estamos.

Aquele dia parece ter acontecido uma vida inteira atrás. Nunca pensei que a veria de novo.

Juliette olha para mim agora, e parece diferente. Seus olhos estão cobertos de lágrimas. Sua pele perdeu a cor; o cabelo perdeu o brilho. Ela parece mais magra. Ela me lembra de mim mesmo.

Oca.

– Oi – sussurro.

Lágrimas escorrem silenciosamente por suas bochechas.

Obrigo-me a permanecer calmo. A não perder a cabeça. Minha mãe me alertou, anos atrás, para esconder meu coração do meu pai, e toda vez que eu escorregava – toda vez que eu me permitia ter esperanças de que ele não fosse um monstro – ele me punia, impiedosamente.

Eu não deixaria que ele fizesse isso comigo de novo. Não queria que ele soubesse o quanto doía vê-la assim. Como era doloroso sentar-me ao lado dela e não dizer nada. Não fazer nada.

– O que ela está fazendo aqui? – pergunto, quase sem reconhecer minha voz.

– Ela está aqui – ele diz – porque mandei trazerem-na para nós.

– Trazer para quê? O senhor disse…

– Eu sei o que eu disse. – Ele encolhe os ombros. – Mas eu queria ver esse momento. A reunião de vocês. Sempre tenho interesse na reunião de vocês. Acho a dinâmica desse relacionamento fascinante.

Encaro-o, sinto meu peito explodir de raiva e, de alguma forma, luto contra isso.

– O senhor a trouxe de volta aqui apenas para me torturar?

– Você se acha importante demais, filho.

– Então o quê?

– Eu tenho sua primeira tarefa – ele afirma, empurrando uma pilha de arquivos sobre a mesa. – Sua primeira missão real como comandante-chefe e regente deste setor.

Meus lábios se separam, surpresos.

– O que isso tem a ver com ela?

Os olhos do meu pai se iluminam.

– Tudo.

Não digo nada.

– Eu tenho um plano – ele explica. – Um que vai exigir sua ajuda. Nesses arquivos – ele indica com a cabeça a pilha na minha frente – está tudo o que você precisa saber sobre a doença dela. Todos os relatórios médicos, todos os documentos. Quero que você reforme a garota. Reabilite-a. E então quero que você transforme as habilidades dela em armas para nosso próprio uso.

Encontro os olhos dele, não conseguindo esconder meu horror com a sugestão.

– Por quê? Por que o senhor recorreria a mim para fazer isso? Por que me pede para fazer algo assim, sendo que conhece a nossa história?

— Você é incomparavelmente adequado para o trabalho. Parece bobo desperdiçar meu tempo explicando isso para você agora, já que não vai se lembrar da maior parte dessa conversa amanhã...

— O quê? – pergunto franzindo a testa. – Por que eu não...

— ... mas vocês dois parecem ter algum tipo de conexão imutável, que pode, espero, inspirar as habilidades dela a se desenvolverem mais plenamente. De maneira mais veloz.

— Isso não faz sentido nenhum.

Ele me ignora. Olha para Juliette. Os olhos dela estão fechados, a cabeça apoiada na parede atrás de si. Ela parece quase adormecida, exceto pelas lágrimas que ainda correm suavemente pelo rosto.

Me mata só de olhar para ela.

— Como você pode ver – diz meu pai –, ela está um pouco fora de si agora. Muito sedada. Ela passou por muita coisa nesses dois últimos anos. Não tivemos escolha a não ser transformá-la em uma espécie de cobaia. Tenho certeza de que você pode imaginar como isso acontece.

Ele me observa com um leve sorriso no rosto. Sei que ele está esperando por algo. Uma reação. Minha raiva.

Recuso-me a dar-lhe isso.

Seu sorriso se alarga.

— Enfim – ele diz alegremente –, vou colocá-la de volta em isolamento pelos próximos seis meses; talvez um ano, dependendo de como as coisas se desenvolvem. Você pode usar essa oportunidade para se preparar. Observá-la.

Mas ainda estou lutando contra minha raiva. Nem sequer consigo falar.

— Há algum problema? – meu pai indaga.

— Não.

— Você se lembra, é claro, do aviso que lhe dei na última vez em que esteve aqui.

— Claro — respondo, minha voz inexpressiva. Morta.

E então, como se do nada:

— A propósito, como está Lena? Espero que ela esteja bem.

— Não sei.

É quase inaudível, mas percebo a súbita mudança na sua voz. A raiva quando pergunta:

— E por quê?

— Terminei com ela na semana passada.

— E não pensou em me dizer?

Finalmente, encontro seus olhos.

— Nunca entendi por que o senhor queria que ficássemos juntos. Ela não é a pessoa certa para mim. Nunca foi.

— Você não a ama, você quer dizer.

— Não posso imaginar como alguém amaria.

— Esse é exatamente o motivo pelo qual ela é perfeita para você.

Eu pisco para ele, tomado de surpresa. Por um momento, quase pareceu que meu pai se importasse comigo. Como se estivesse tentando me proteger de algum jeito perverso e idiota.

Em dado momento, ele suspira.

Pega uma caneta e um bloco de papel e começa a escrever alguma coisa.

— Vou ver o que posso fazer sobre como reparar o dano que você fez. A mãe de Lena deve estar histérica. Até lá, comece a trabalhar. — Com a cabeça, ele indica a pilha de arquivos que colocou diante de mim.

Relutante, pego uma pasta do topo.

Analiso os documentos, examinando os contornos gerais da missão, e então olho para ele, atordoado.

– Por que a papelada dá a entender que a ideia foi minha?

Ele hesita. Coloca a caneta na mesa.

– Porque você não confia em mim.

Encaro-o, esforçando-me para entender.

Ele inclina a cabeça de lado.

– Se soubesse que essa era a minha ideia, você nunca confiaria nela, confiaria? Você procuraria por buracos. Conspirações. Você nunca seguiria o caminho que eu gostaria que seguisse. Além disso – ele explica, pegando a caneta novamente. – Dois pássaros. Uma cajadada. É hora de enfim quebrar o ciclo.

Devolvo a pasta à pilha. Tenho o cuidado de moderar o tom da minha voz quando afirmo:

– Não tenho ideia do que o senhor está falando.

– Estou falando sobre o seu novo experimento – ele explica friamente. – Sua pequena tragédia. Isso. – E aponta de mim para Juliette. – Isso precisa acabar. E é improvável que ela retribua seu afeto quando acordar e descobrir que você não é amigo dela, mas, sim, o opressor. Não acha?

E eu não posso mais manter a fúria ou a histeria longe da minha voz quando exaspero:

– Por que está fazendo isso comigo? Por que está me torturando de propósito?

– É tão louco imaginar que eu possa estar tentando agradar você? – Meu pai sorri. – Analise melhor esses arquivos, filho. Se já quis ter uma chance de salvar sua mãe, pode ser esta.

Fiquei obcecado com o tempo.

Ainda assim, só posso deduzir quanto tempo estive aqui, encarando essas paredes, sem descanso. Nenhuma voz, apenas os ocasionais sons distorcidos de fala distante. Sem rostos, nem uma única pessoa para me dizer onde estou ou o que me espera. Vi as sombras perseguirem a luz dentro e fora da minha cela por semanas, seus movimentos através da pequena janela eram minha única esperança para marcar os dias.

Uma fenda fina e retangular na minha porta se abre com uma força súbita e, surpreendente, a abertura é atravessada pelo que parece ser luz artificial do outro lado.

Faço uma anotação mental.

Um único pão fumegante – sem bandeja, sem papel-alumínio, sem utensílios – é empurrado pela fenda e meus reflexos ainda são rápidos o suficiente para pegar o pão antes que ele toque o chão imundo. Tenho o bom senso de entender que a pouca comida que recebo todos os dias é envenenada. Não o suficiente para me matar. Apenas o suficiente para me deixar mais lento. Pequenos tremores balançam meu corpo, mas forço meus olhos a ficarem abertos quando giro o pão macio pela minha mão, procurando informações na casca áspera. Não há marcas. Nada extraordinário. Isso pode não significar nada.

Não há como ter certeza.

Esse ritual acontece duas vezes ao dia. Sou alimentado com uma porção insignificante e insípida de comida duas vezes ao dia. Por horas a fio meus pensamentos se agitam; minha mente nada e alucina. Estou lento. Vagaroso.

Na maioria dos dias, eu jejuo.

Para limpar a mente, limpar meu corpo do veneno e coletar informações. Preciso sair daqui antes que seja tarde demais.

Em algumas noites, quando estou mais fraco, minha imaginação corre solta; minha mente é atormentada por visões horríveis do que poderia ter acontecido com ela. É uma tortura não saber o que fizeram com ela. Não saber onde ela está, como ela está, não saber se alguém a está machucando.

Mas os pesadelos são talvez o que há de mais desconcertante.

Pelo menos, acho que são pesadelos. É difícil separar fato da ficção, sonhos da realidade; perco muito tempo por conta do veneno correndo pelas minhas veias. Porém, as palavras de Nazeera para mim antes do simpósio – o aviso de que Juliette era outra pessoa, de que Max e Evie são seus verdadeiros pais biológicos...

Eu não queria acreditar.

Parecia uma possibilidade perversa demais para ser real. Até meu pai tinha limites que ele não cruzaria, eu disse a mim mesmo. Até mesmo o Restabelecimento tinha algum senso de moralidade inventada, eu disse a mim mesmo.

Mas os vi quando fui levado embora – vi os rostos familiares de Evie e Maximillian Sommers, a comandante suprema da Oceania e seu marido. E tenho pensado neles desde então.

Eles eram os principais cientistas do nosso grupo, os cérebros silenciosos do Restabelecimento. Eram militares, sim, mas eram médicos. A dupla não costumava se misturar. Eu tinha poucas lembranças deles até muito recentemente.

Até que *Ella* aparecesse na minha mente.

Só que não sei como ter certeza se o que estou vendo é real. Não tenho como saber que isso não é simplesmente outra parte da tortura. É impossível saber. É agonia, perfurando um buraco através de mim. Sinto que estou sendo agredido de ambos os lados – mental e físico – e não sei onde ou como começar a revidar. Comecei a pressionar os dentes com tanta força que está me causando enxaqueca. A exaustão se esbalda em minha mente. Certamente tenho pelo menos duas costelas fraturadas e minhas únicas horas de descanso são quando fico em pé: a única posição que alivia a dor no meu torso. Seria fácil desistir. Ceder. Mas não posso me perder nesses jogos mentais.

Eu não vou.

Então compilo dados.

Passei a vida inteira me preparando para momentos como esse, por pessoas como essas, e eles vão tirar o máximo proveito de meu conhecimento. Sei que vão esperar que eu prove que mereço sobreviver, e – inesperadamente – saber disso me traz uma sensação muito necessária de calma. Não sinto nada da minha habitual ansiedade aqui, sendo cuidadosamente envenenado até a morte.

Em vez disso, me sinto em casa. É familiar.

Fortificado pela adrenalina.

Em qualquer outra circunstância, eu acharia que minhas refeições seriam oferecidas uma vez pela manhã e uma à noite – mas sei que não devo presumir mais nada. Tenho mapeado as sombras o suficiente para saber que nunca recebo refeições em horários regulares e que o cronograma irregular é intencional. Deve haver uma mensagem aqui: uma sequência de números, um padrão de informação, algo que não estou entendendo; pois sei que isso, como todo o resto, é um teste.

Estou sob custódia de uma comandante suprema.

Não pode haver acidentes.

Obrigo-me a comer o pão morno e sem sabor, odiando a maneira como sua massa borrachuda e muito processada gruda no céu da boca. Isso me faz desejar uma escova de dentes. Eles me deram uma pia e um vaso sanitário, e tenho pouco mais do que isso para manter meus padrões de higiene intactos, o que é possivelmente a maior indignidade aqui. Luto contra uma onda de náusea enquanto engulo a última mordida de pão e um calor súbito e formigante inunda meu corpo. Gotas de suor escorrem pelas minhas costas e cerro os punhos para não sucumbir muito rapidamente às drogas.

Preciso de um pouco mais de tempo.

Há uma mensagem aqui, em algum lugar, mas ainda não descobri onde. Talvez esteja nos movimentos das sombras. Ou no número de vezes que a portinha se abre e fecha. Pode ser nos nomes dos alimentos que sou forçado a comer, ou no número exato de passos que ouço todos os dias – ou talvez seja na ocasional e barulhenta batida na minha porta que acompanha o silêncio.

Há algo aqui, algo que eles estão tentando me dizer, algo que eu deveria decifrar – perco o fôlego, estendo a mão cegamente quando um choque de dor passa pela minha barriga...

Eu posso descobrir isso, penso, conforme a droga me arrasta para baixo. Caio para trás, nos cotovelos. Meus olhos se abrem e fecham e minha mente se afoga enquanto conto os sons do lado de fora da porta...

um passo difícil
dois passos arrastados
um passo difícil

... e há algo lá, algo deliberado no movimento que fala comigo. Eu sei. Conheço essa linguagem, sei o nome dela, está bem na ponta da minha língua, mas parece que não consigo entender.

Já me esqueci o que estava tentando fazer.

Meus braços cedem. Minha cabeça bate no chão com um baque surdo. Meus pensamentos se dissolvem na escuridão.

Os pesadelos me tomam pela garganta.

Kenji

Achei que havia passado por alguns lugares bem difíceis na vida, mas esta merda não se assemelha a nada que vivi. A perfeita escuridão. Não há sons a não ser os gritos torturados e distantes de outros prisioneiros. A comida é um lixo nojento empurrado através de uma fenda na porta. Não há banheiros, mas eles abrem as portas uma vez por dia, por tempo suficiente para que você se mate tentando encontrar chuveiros e banheiros nojentos. Tenho ciência do que é isso. Lembro-me de quando Juliette...

Ella. *Ella*. Ella costumava me contar sobre este lugar.

Em algumas noites nós ficávamos acordados por horas falando sobre isso. Eu queria saber. Queria saber tudo. E essas conversas são a única razão pela qual eu sabia o que a porta aberta significava.

Realmente não sei há quanto tempo estou aqui – uma semana? Talvez duas? Não entendo por que eles não me matam. Tento me convencer, a cada minuto de cada maldito dia, que eles estão fazendo isso apenas para mexer com a nossa cabeça, que a mente torturada é um destino pior do que uma bala no cérebro, mas não posso mentir. Este lugar está começando a mexer comigo.

Sinto que começo a ficar estranho.

Começo a ouvir coisas. A ver coisas. Começo a surtar pensando no que poderia ter acontecido com os meus amigos ou se eu nunca vou sair daqui.

Tento não pensar em Nazeera.

Quando penso em Nazeera, quero me dar um soco no rosto. Quero atirar na minha garganta.

Quando penso em Nazeera, sinto uma raiva tão aguda que, de fato, me convenço, por um minuto, de que talvez eu consiga me libertar dessas algemas de néon com nada além de força bruta. Mas isso nunca acontece. Essas coisas são inquebráveis, tiram os meus poderes. E emitem um brilho azul suave e pulsante, a única luz que vejo.

J me disse que a cela dela tinha uma janela. A minha não tem.

Um zumbido áspero enche minha cela. Ouço um clique suave na porta de metal pesado. Levanto-me com um salto.

A porta se abre.

Vou tateando pelo corredor gotejante, a luz fraca e pulsante de meus punhos faz pouco para guiar meu caminho.

O chuveiro é rápido e frio. Horrível em todos os sentidos. Não há toalhas neste buraco de merda, então estou sempre congelando até que eu possa voltar para o meu quarto e me envolver no cobertor puído. Penso naquele cobertor agora, tentando manter os pensamentos focados e impedir que meus dentes tiritem enquanto desço pelos túneis escuros.

Não vejo o que acontece em seguida.

Alguém colide comigo pelas costas e me dá uma gravata, me sufocando com uma técnica tão perfeita que nem sei se lutar vale a pena. Definitivamente, vou morrer.

A maneira mais estranha de partir, mas é isso. Eu já era.

Merda.

~~Juliette~~ Ella

O sr. Anderson disse que posso almoçar na casa dele antes de conhecer minha nova família. Não foi ideia dele, mas, quando Aaron, seu filho – esse era o nome do garoto – sugeriu, o sr. Anderson parecia estar de acordo.

Sou grata.

Ainda não estou pronta para ir viver com um monte de estranhos. Estou com medo, nervosa e preocupada com tantas coisas que nem sei por onde começar. Principalmente, sinto raiva. Sinto raiva dos meus pais por terem morrido. Raiva por terem me deixado para trás.

Agora sou órfã.

Mas talvez eu tenha um novo amigo. Aaron disse que ele tinha oito anos – cerca de dois anos mais velho do que eu –, então não há chance de estarmos no mesmo ano na escola, mas, quando falei que provavelmente iríamos frequentar a mesma escola, ele disse que não, nós não iríamos. Ele disse que não frequentava a escola pública. E explicou que o pai dele era muito específico quanto a esse tipo de coisa e que ele tinha estudado em casa com tutores particulares a vida toda.

Estamos sentados um ao lado do outro no trajeto de carro até a casa dele, quando Aaron diz baixinho:

— Meu pai nunca me deixa convidar pessoas para ir à nossa casa. Ele deve gostar de você.

Sorrio, secretamente aliviada. Realmente espero que isso signifique que eu tenha um novo amigo. Eu estava com tanto medo de me mudar para cá, com tanto medo de estar em algum lugar novo e estar sozinha... Mas agora, sentada ao lado desse garoto loiro e estranho com olhos verdes-claros, estou começando a sentir que as coisas podem dar certo.

Pelo menos agora, mesmo que eu não goste dos meus novos pais, sei que não estou completamente sozinha. O pensamento me deixa feliz e triste.

Olho para Aaron e sorrio. Ele sorri de volta.

Quando chegamos à sua casa, aproveito para admirá-la do lado de fora. É uma casa antiga, grande e bonita, pintada no tom azul mais lindo. Tem grandes persianas brancas nas janelas e uma cerca branca em torno do jardim frontal. Rosas cor-de-rosa crescem nas bordas do terreno, espreitando através das ripas de madeira da cerca, e o cenário todo parece tão tranquilo e adorável que logo me sinto em casa.

Minhas preocupações desaparecem.

Sou muito grata pela ajuda do sr. Anderson. Muito grata por ter conhecido o filho dele. Percebo, então, que o sr. Anderson pode ter trazido o filho para a minha reunião hoje apenas para me apresentar a alguém da minha idade. Talvez ele estivesse tentando fazer com que eu me sentisse em casa.

Uma bela moça loira atende a porta da frente. Ela sorri para mim, alegre e gentil, e nem sequer diz "olá" antes de me puxar para seus braços.

Ela me abraça como se me conhecesse desde sempre, e há algo tão confortável em seus braços em volta de mim que acabo deixando todo mundo constrangido quando caio no choro.

Nem sequer consigo olhar para alguém depois que me afasto dela – ela me disse que se chamava sra. Anderson, mas que eu poderia chamá-la de Leila, se quisesse – e enxugo as lágrimas, envergonhada da minha reação exagerada.

A sra. Anderson diz a Aaron para me levar para o quarto, enquanto ela prepara alguns petiscos antes do almoço.

Ainda fungando, eu o sigo pelas escadas.

Seu quarto é legal. Sento-me na cama e observo as coisas dele. Em geral, é bem limpo e arrumado, mas há uma luva de beisebol na mesinha de cabeceira e há duas bolas de beisebol sujas no chão. Aaron me percebe olhando e pega-as imediatamente. Ele parece envergonhado quando as enfia no armário, e não entendo o porquê. Eu nunca fui muito organizada. Meu quarto sempre foi...

Hesito.

Tento me lembrar do meu antigo quarto, mas, por algum motivo, não consigo. Enrugo a testa. Tento novamente.

Nada.

E então percebo que não consigo me lembrar do rosto dos meus pais. O terror me perfura.

– O que foi?

A voz de Aaron é tão repentina – tão intensa – que levanto o olhar, surpresa. Ele me encara do outro lado do quarto, o medo em seu rosto é refletido nos espelhos nas portas do armário.

– O que foi? – ele pergunta de novo. – Você está bem?

— Eu... Eu não... — Vacilo, sentindo meus olhos se encherem de lágrimas. Odeio o fato de continuar chorando. Odeio o fato de que não consigo parar de chorar. — Não consigo me lembrar dos meus pais — respondo. — Isso é normal?

Aaron se aproxima, senta ao meu lado na cama.

— Não sei — diz ele.

Ficamos sentados em silêncio. De alguma forma, isso ajuda. De alguma forma, apenas sentar ao lado dele faz com que eu me sinta menos sozinha. Menos apavorada.

Passado algum tempo, meu coração desacelera.

Depois de enxugar as lágrimas, pergunto:

— Você não se sente sozinho, estudando só em casa?

Ele confirma.

— Por que seu pai não deixa você ir para uma escola normal?

— Não sei.

— E as festas de aniversário? — indago. — Quem você convida para suas festas de aniversário?

Aaron encolhe os ombros. Ele está olhando as mãos quando fala:

— Nunca tive uma festa de aniversário.

— O quê? Sério? — Eu me viro para olhá-lo mais de frente. — Mas festas de aniversário são tão divertidas! Eu costumava... — Eu pisco, interrompendo a fala.

Não me lembro do que estava prestes a dizer.

Enrugo a testa, tentando lembrar de algo, algo sobre a minha antiga vida, contudo, quando as memórias não se materializam, balanço a cabeça para clareá-la. Talvez eu me lembre mais tarde.

— De qualquer forma — continuo, respirando rapidamente —, você precisa ter uma festa de aniversário. Todo mundo tem. Quando é seu aniversário?

Lentamente, Aaron olha para mim. Seu rosto está vazio quando ele diz:

— Dia 24 de abril.

— Dia 24 de abril — repito, sorrindo. — Isso é ótimo. Nós vamos comer bolo.

Os dias passam em um pânico abafado, um crescendo excruciante em direção à loucura. Os ponteiros do relógio parecem se fechar em torno da minha garganta e, ainda assim, não digo nada, não faço nada.

Eu espero.

Finjo.

Estou paralisada aqui há duas semanas, presa na prisão desta falcatrua, deste complexo. Evie não sabe que seu plano para esvaziar minha mente falhou. Ela me trata como um objeto estranho, de modo distante, mas não indelicado. Ela me instruiu a chamá-la de *Evie*, disse que era minha médica e depois mentiu detalhadamente sobre como sofri um acidente terrível, que eu sofria de amnésia, que eu precisava ficar na cama para me recuperar.

Ela não sabe que meu corpo não para de tremer, que minha pele fica lisa de suor todos os dias de manhã, que minha garganta queima com o retorno constante da bílis. Ela não sabe o que está acontecendo comigo. Ela nunca poderia entender a doença que assola meu coração. Ela não poderia entender essa agonia.

Lembranças.

Os ataques são implacáveis.

Memórias me atacam enquanto durmo, me fazem levantar com um sobressalto, meu peito vai sendo tomado de pânico mais e mais e mais até que, finalmente, eu me encontro com o amanhecer no chão do banheiro, o cheiro de vômito grudado no cabelo, no interior da minha boca. Só consigo me arrastar de volta para a cama e forçar meu rosto a sorrir quando Evie me examina ao nascer do sol.

A sensação é de que tudo está errado.

O mundo parece estranho. Cheiros me confundem. Palavras não parecem mais certas na minha boca. O som do meu próprio nome é ao mesmo tempo familiar e estrangeiro. Minhas lembranças de pessoas e lugares parecem distorcidas, fios esgarçados que vão se juntando para formar uma tapeçaria esfarrapada.

Mas Evie. *Minha mãe.*

Eu me recordo dela.

— Evie?

Ponho a cabeça para fora do banheiro, segurando um roupão ao redor do corpo molhado. Passo os olhos pelo quarto à procura dela.

— Evie, você está aí?

— Sim? — Ouço sua voz apenas alguns segundos antes de ela estar diante de mim, segurando um conjunto de lençóis limpos nas mãos. Ela está tirando minha roupa de cama novamente. — Você precisava de alguma coisa?

— Estamos sem toalhas.

— Ah, isso é fácil — diz ela, e sai correndo pela porta. Pouquíssimos segundos depois, está de volta, colocando uma toalha quente e limpa nas minhas mãos. Ela sorri fracamente.

– Obrigada – digo, forçando o sorriso no rosto, forçando-o a iluminar meus olhos com vida. E, então, desapareço no banheiro.

O espaço está fumegando; os espelhos se embaçaram, transpiraram. Agarro a toalha com uma das mãos, observando as gotas de água escorrerem pela minha pele nua. A condensação me veste como um traje; enxugo as algemas metálicas úmidas presas em torno dos meus pulsos e tornozelos, a luz azul brilhante é o lembrete constante de que estou no inferno.

Desmorono, com uma respiração pesada; chego ao chão.

Estou com muito calor para vestir roupas, mas ainda não estou pronta para deixar a privacidade do banheiro, então fico sentada aqui, usando nada além dessas algemas, e deito a cabeça entre as mãos.

Meu cabelo está comprido de novo.

Descobri-o assim – longo, pesado, escuro – certa manhã, e, quando perguntei, quase estraguei tudo.

– O que você quer dizer? – Evie perguntou, estreitando os olhos para mim. – Seu cabelo sempre foi longo.

Pisquei para ela, lembrando de me fazer de boba.

– Eu sei.

Ela me analisou por um momento antes de deixar passar, mas ainda estou preocupada que eu vá pagar por isso. Às vezes é difícil lembrar como agir. Minha mente está sendo atacada, assaltada todos os dias por emoções que nunca soube que existiam. Era para minhas memórias terem sido apagadas. Em vez disso, elas estão sendo reavivadas.

Estou me lembrando de tudo:

A risada da minha mãe, seus pulsos esguios, o cheiro de seu xampu e a familiaridade de seus braços em volta de mim.

Quanto mais me lembro, menos esse lugar me parece estranho. Menos esses sons e cheiros – essas montanhas à distância – parecem desconhecidos. É como se as partes díspares do meu eu mais desesperado estivessem se costurando umas nas outras, como se os vãos no meu coração e na minha cabeça estivessem se curando, enchendo-se lentamente de sensações.

Este complexo era minha casa. Essas pessoas, minha família. Acordei hoje de manhã lembrando-me da cor do batom favorito da minha mãe.

Vermelho-sangue.

Eu me lembro de vê-la pintar os lábios algumas noites. Lembro-me do dia em que entrei no quarto dela e roubei o tubo de metal reluzente; lembro-me de quando ela me encontrou, minhas mãos e boca manchadas de vermelho, em meu rosto uma reinterpretação grotesca dela mesma.

Quanto mais me lembro dos meus pais, mais começo a entender meus próprios sentimentos – meus muitos medos e inseguranças, a miríade de maneiras pelas quais muitas vezes me senti perdida, procurando por algo que eu não sabia como nomear.

É devastador.

E ainda assim...

Nesta nova e turbulenta realidade, a única pessoa que ainda reconheço é *ele*. Minhas lembranças dele – memórias de nós dois – fizeram algo comigo. Isso me mudou em algum lugar lá no fundo. Sinto-me diferente. Mais pesada, como se meus pés estivessem plantados com mais solidez, liberados pela certeza, livres para criar raízes aqui em mim, livres para confiar inequivocamente na força e na firmeza do meu próprio coração. É uma descoberta poderosa, perceber que posso confiar em mim – mesmo quando não sou eu mesma – para fazer as escolhas certas. Para saber com certeza agora que houve pelo menos um erro que nunca cometi.

Aaron Warner Anderson é a única linha emocional na minha vida que já fez sentido. Ele é a única constante. A única pulsação estável e confiável que já tive.

Aaron, Aaron, Aaron, Aaron

Eu não tinha ideia do quanto tínhamos perdido, nenhuma ideia de quanto dele eu ansiava. De como estávamos desesperadamente lutando. Quantos anos nós brigamos por momentos – minutos – para ficarmos juntos.

Isso me enche de um tipo doloroso de alegria.

Mas, quando me lembro de como deixei as coisas entre nós, quero *gritar*.

Não faço ideia se vou vê-lo novamente.

Ainda assim, estou me apegando à esperança de que ele esteja vivo, lá, em algum lugar. Evie disse que não poderia matá-lo. Ela disse que sozinha não tinha autoridade para executá-lo. E, se Aaron ainda estiver vivo, vou encontrar um jeito de chegar até ele. Mas tenho que ter cuidado. Fugir dessa nova prisão não será fácil... Na situação atual, Evie quase nunca me deixa sair do quarto. Pior, ela me deixa sedada durante o dia, me permitindo apenas algumas horas de lucidez. Nunca há tempo suficiente para *pensar*, muito menos para planejar uma fuga, avaliar meus arredores ou perambular pelos corredores do lado de fora da minha porta.

Ela permitiu que eu saísse apenas uma vez.

Mais ou menos.

Ela me deixou em uma varanda com vista para o quintal. Não foi muito, mas mesmo esse pequeno passo me ajudou a entender um pouco sobre onde estávamos e como poderia ser o layout do prédio.

A conclusão foi arrepiante.

Parecíamos estar no centro de um assentamento – uma cidade pequena – no meio do nada. Inclinei-me sobre o parapeito da sacada, esticando o pescoço para avaliar a largura dele, mas a vista era tão vasta que eu não conseguia enxergar ao redor. De onde eu estava, vi pelo menos vinte edifícios diferentes, todos conectados por estradas e navegados por pessoas em miniatura, carros elétricos. Havia docas de carga e descarga, caminhões enormes entrando e saindo, e havia uma pista de aterrissagem ao longe, uma fila de jatos estacionados em um pátio de concreto. Entendi então que eu estava vivendo no meio de uma operação massiva – algo muito mais aterrorizante do que o Setor 45.

Esta é uma base internacional.

Este lugar só pode ser uma das capitais. O que quer que isso seja – o que quer que eles façam aqui – torna o Setor 45 uma piada.

Aqui, onde as colinas ainda são verdes e bonitas, onde o ar é limpo e fresco e tudo parece vivo. Minhas contas provavelmente estão erradas, mas acho que estamos nos aproximando do fim de abril – e a vista fora da minha janela é diferente de tudo que já vi no Setor 45: vastas cadeias de montanhas nevadas; colinas ondulantes cobertas de vegetação espessa; árvores pesadas com folhas brilhantes e mutáveis; e um lago enorme e brilhante que parece perto o suficiente para ser alcançado com uma corrida. Esta terra parece saudável. Vibrante.

Pensei que tínhamos perdido um mundo assim há muito tempo.

Evie começou a me sedar menos nestes últimos dias, mas em alguns minha visão parece falhar nas bordas, como a imagem de satélite falhando, esperando os dados carregarem.

Pergunto-me, às vezes, se ela está me envenenando.

Estou imaginando isso agora, lembrando da tigela de sopa que ela mandou para o meu quarto no café da manhã. Ainda sinto o resíduo pegajoso cobrindo minha língua, o céu da boca.

Um desconforto agita meu estômago.

Levanto-me do chão do banheiro, meus membros lentos e pesados. Demoro um momento para me estabilizar. Os efeitos desse experimento me deixaram vazia.

Com raiva.

Como se, do nada, minha mente evocasse uma imagem do rosto de Evie. Lembro de seus olhos. Profundos, marrom-escuros. Infinitos. A mesma cor dos cabelos dela. São cortados em um comprimento chanel perfeito e reto, uma cortina pesada batendo constantemente contra o queixo. Ela é uma mulher bonita, mais bonita aos cinquenta do que aos vinte anos.

Chegando.

A palavra me ocorre de repente, e um raio de pânico atinge minha espinha. Pouco menos de um segundo depois, há uma batida forte na porta do meu banheiro.

– Sim?

– Ella, você está no banheiro há quase meia hora e sabe o que penso sobre desperdiçar temp...

– *Evie*. – Eu me forço a rir. – Estou quase terminando – digo. – Vou sair já, já.

Uma pausa.

O silêncio estende os segundos em uma vida. Meu coração pula na garganta. Bate na minha boca.

– Tudo bem – diz ela lentamente. – Mais cinco minutos.

Fecho os olhos enquanto exalo o ar, pressionando a toalha na pulsação acelerada no meu pescoço. Eu me seco rapidamente antes de espremer a água restante do meu cabelo e deslizar de volta para o meu roupão.

Por fim, abro a porta do banheiro e dou as boas-vindas à temperatura fresca da manhã contra minha pele febril, mas nem tenho uma chance de respirar antes que ela esteja na minha cara de novo.

– Use isso – ela instrui, forçando um vestido em meus braços. Evie está sorrindo, mas isso não combina com ela. Parece enlouquecida. – Você adora vestir amarelo.

Pisco quando pego o vestido dela, sentindo uma onda súbita e desorientadora de *déjà vu*.

– Claro – respondo. – Adoro usar amarelo.

Seu sorriso emagrece, ameaça virar o rosto dela de dentro para fora.

– Eu poderia apenas...? – Faço um gesto abstrato em direção ao meu corpo.

– Oh – ela exclama, assustada. – Certo. – Ela me lança outro sorriso e informa: – Eu vou estar lá fora.

Meu próprio sorriso é frágil.

Ela me observa. Ela sempre me observa. Estuda minhas reações, o tempo das minhas respostas. Evie está me analisando, constantemente, em busca de informações. Ela quer confirmação de que fui devidamente esvaziada. *Refeita.*

Meu sorriso se alarga.

Enfim, ela dá um passo para trás.

– Boa menina – ela diz suavemente.

Estou no meio do meu quarto e a vejo sair, o vestido amarelo ainda pressionado contra o meu peito.

Houve outro momento em que me senti presa assim. Fui presa contra a minha vontade, recebendo lindas roupas e três refeições balanceadas e me foi exigido ser algo que eu não era e lutei contra isso – lutei com todas as minhas forças.

Não me adiantou de nada.

Eu jurei que, se pudesse fazer isso de novo, faria diferente. Prometi que, se pudesse refazer, usaria as roupas, comeria e entraria no jogo até conseguir descobrir onde estava e como me libertar.

Então aqui está a minha chance.

Desta vez, decidi entrar no jogo.

Kenji

Eu acordo, amarrado e amordaçado, um rugido nos meus ouvidos. Pisco para clarear a visão. Estou preso com tanta força que não consigo me mexer, então levo um segundo para perceber que não posso ver minhas pernas.

Sem pernas. Nenhum braço também.

A revelação de que estou invisível me atinge com força total e horripilante.

Eu não estou fazendo isso

Eu não me trouxe aqui, me amarrei e amordacei e fiquei invisível.

Há apenas uma outra pessoa que poderia.

Olho ao redor com desespero, tentando avaliar onde estou e quais são as minhas chances de fuga, mas quando finalmente consigo erguer meu corpo de lado – apenas o suficiente para esticar meu pescoço – percebo, com um choque aterrorizante, que estou em um avião.

E então – vozes.

É Anderson e Nazeera.

Eu os ouço discutindo algo sobre como chegaremos em breve e, minutos depois, sinto quando tocamos o solo.

O avião taxia e parece levar uma eternidade até que os motores enfim sejam desligados.

Ouço Anderson sair. Nazeera hesita, dizendo algo sobre a necessidade de se limpar. Ela desliga o avião e as câmeras, me ignora.

Finalmente, ouço seus passos se aproximando da minha cabeça. Ela usa um pé para me virar de costas, e então, simples assim, minha invisibilidade se foi. Ela me olha por mais um tempinho, não diz nada.

Depois, sorri.

– Oi – ela me cumprimenta, removendo a mordaça da minha boca. – Como você está se saindo?

E decido bem ali que vou ter que matá-la.

– Tudo bem – ela diz –, sei que você talvez esteja irritado.

– IRRITADO? VOCÊ ACHA QUE ESTOU IRRITADO? – Eu me movo violentamente contra as amarras. – Caramba, mulher, me tira destas malditas amarras…

– Eu vou te tirar delas quando você se acalmar…

– COMO VOCÊ PODE ESPERAR QUE EU FIQUE CALMO?

– Estou tentando salvar sua vida agora, então, na verdade, espero muitas coisas de você.

Respiro com dificuldade.

– Espere. O quê?

Ela cruza os braços, olha para mim.

– Tenho tentado te explicar que não havia outra maneira de fazer isso. E não se preocupe – ela assegura. – Seus amigos estão bem.

Devemos ser capazes de tirá-los do hospício antes que qualquer dano permanente seja feito.

– O quê? O que você quer dizer com *dano permanente?*

Nazeera suspira.

– De qualquer forma, essa foi a única maneira que consegui pensar de roubar um avião sem atrair a atenção. Eu precisava rastrear o Anderson.

– Então você sabia que ele estava vivo, todo esse tempo, e não disse nada.

Ela levanta as sobrancelhas.

– Sinceramente, pensei que você soubesse.

– Como diabos eu deveria saber? – grito. – Como eu deveria saber de *alguma coisa?*

– Pare de gritar – ordena. – Tive todo esse trabalho para salvar sua vida, mas juro por Deus que vou te matar se você não parar de gritar agora.

– Onde – digo – DIABOS – digo – ESTAMOS?

E, em vez de me matar, ela ri.

– Onde você pensa que estamos? – Ela balança a cabeça. – Estamos na Oceania. Estamos aqui para encontrar Ella.

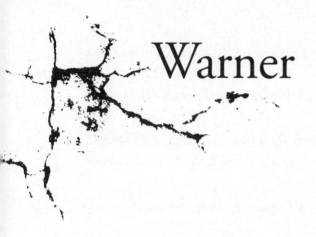

Warner

— Nós podemos viver no lago – diz ela simplesmente.
— O quê? – Eu quase rio. – Do que você está falando?
— Estou falando sério – ela afirma. – Ouvi minha mãe falando sobre como tornar possível que as pessoas vivam debaixo d'água, e vou pedir a ela para me falar como é, então nós poderemos viver no lago.

Eu suspiro.

— Não podemos viver no lago, Ella.
— Por que não? – Ela se vira e olha para mim, os olhos arregalados, surpreendentemente brilhantes. Azuis esverdeados. Como o globo, eu acho. Como o mundo inteiro. – Por que não podemos viver no lago? Minha mãe diz que...
— Pare com isso, Ella. Pare...

Acordo de repente, sentando com um sobressalto, arregalando os olhos, meus pulmões desesperados por ar. Respiro rápido demais e tusso, sufocando com a hipercorreção de oxigênio. Meu corpo se inclina para a frente, peito arfando, minhas mãos apoiadas no chão frio de concreto.

Ella.

Ella.

A dor perfura meu peito como uma lança. Parei de comer a comida envenenada há dois dias, mas as visões perduram mesmo quando estou lúcido. Há algo hiper-real em relação a esta em particular, a memória se acumulando em mim repetidamente, disparando dores rápidas e agudas através das minhas entranhas. É de tirar o fôlego, essa onda de emoção desorientadora.

Pela primeira vez, estou começando a acreditar.

Pensei que eram pesadelos. Até mesmo alucinações. Mas agora eu sei.

Agora parece impossível negar.

Ouvi minha mãe falando sobre como tornar possível que as pessoas vivam debaixo d'água

Não entendi direito por que Max e Evie estavam me mantendo cativo aqui, mas eles devem me culpar por algo – talvez algo pelo qual meu pai é responsável. Algo de que eu, sem saber, participei.

Talvez algo como torturar sua filha Emmaline.

Quando fui mandado para fora por dois anos, nunca me disseram para onde estava indo. Os detalhes da minha localização nunca foram divulgados e, durante esse período, vivi em uma verdadeira prisão só minha, nunca me era permitido sair, nunca me era permitido saber mais do que o absolutamente necessário sobre a tarefa que eu tinha em mãos. Os intervalos que eu recebia eram vigiados de perto, e eu era obrigado a usar uma venda nos olhos enquanto entrava e saía do jato, o que sempre me fez pensar que eu deveria estar trabalhando em algum lugar facilmente identificável. Mas esses dois anos também incluíram alguns dos dias mais sombrios e tristes da minha vida; tudo que eu conhecia era minha necessidade desesperada de me perder no nada. Eu estava tão enterrado em autorrejeição que parecia certo encontrar consolo nos braços de alguém que não significava nada para mim. Eu me odiava todos os dias. Estar com Lena era alívio e tortura.

Mesmo assim, eu me sentia entorpecido o tempo todo.

Depois de duas semanas aqui, estou começando a me perguntar se essa prisão não é alguma que conheci antes. Se este não é o mesmo lugar onde passei aqueles dois anos horríveis da minha vida. É difícil explicar as razões intangíveis e irracionais pelas quais a visão do lado de fora da janela está começando a parecer familiar para mim, mas dois anos é muito tempo para se familiarizar com os ritmos de uma terra, mesmo que você não entenda.

Pergunto-me se Emmaline está aqui, em algum lugar.

Faz sentido que ela estivesse aqui, perto de casa – perto dos pais dela, cujos avanços médicos e científicos são a única razão pela qual ela está viva. Ou algo próximo de vivo, na verdade.

Faz sentido que fossem trazer Juliette – *Ella*, eu me lembro – de volta para cá, para a casa dela. A questão é...

Por que trazê-la aqui? O que desejam fazer com ela?

Mas então, se a mãe dela for parecida com o meu pai, acho que posso imaginar o que têm em mente.

Eu me empurro do chão para me levantar e respiro fundo. Meu corpo está funcionando à base de pura adrenalina, tão faminto por sono e alimento que tenho de...

Dor.

É rápida e repentina e perco o fôlego ao reconhecer a pontada familiar. Não tenho ideia de quanto tempo levará para minhas costelas se curarem. Até lá, cerro os dentes ao me levantar, apalpando cegamente em busca de apoio na pedra áspera. Minhas mãos tremem enquanto me firmo e estou respirando com dificuldade de novo, os olhos percorrendo a cela familiar.

Ligo a torneira da pia e espirro água gelada no rosto.

O efeito é imediato. Me devolve o foco.

Com cuidado, tiro toda a roupa. Molho minha camiseta debaixo da água corrente e uso-a para esfregar meu rosto, meu pescoço, o resto do meu corpo. Lavo o cabelo. Enxaguo a boca. Limpo os dentes. E então faço o pouco que posso pelo resto de minhas roupas, lavando-as à mão e torcendo-as. Visto de novo a cueca, embora o algodão ainda esteja um pouco úmido, e luto contra um arrepio na escuridão. Faminto e com frio é melhor que drogado e delirante.

Este é o fim da minha segunda semana em confinamento, e meu terceiro dia esta semana sem comida. É bom ter clareza na mente, mesmo enquanto meu corpo morre de fome lentamente. Eu já estava mais magro do que o normal, mas agora as linhas do meu corpo parecem extraordinariamente afiadas, até para mim mesmo, toda a maciez necessária desapareceu dos meus braços e pernas. É apenas uma questão de tempo até os meus músculos se atrofiarem e eu causar danos irreparáveis aos meus órgãos, mas neste momento não tenho escolha. Preciso de acesso à minha mente.

Preciso *pensar*.

E algo sobre a minha condenação parece errado.

Quanto mais penso a respeito, menos sentido faz que Max e Evie quisessem que eu sofresse pelo que fiz com Emmaline. Antes de mais nada, foram eles que doaram as filhas para o Restabelecimento. A tarefa de supervisionar Emmaline foi atribuída a mim – provavelmente seria um trabalho que eles aprovariam. Faria mais sentido que eu estivesse aqui por traição. Max e Evie, como quaisquer outros comandantes, queriam que eu sofresse por virar as costas para o Restabelecimento.

Mas até mesmo essa teoria parece errada. Incongruente.

A punição por traição sempre foi uma execução pública. Rápida. Eficiente. Eu deveria ser assassinado, com apenas um pouco de fanfarra, na frente dos meus próprios soldados. Mas isso, trancar as pessoas assim, lentamente, passando fome, roubando-lhes pouco a pouco a sanidade e a dignidade – isso é incivilizado. É o que o Restabelecimento faz com os outros, não com os seus.

Foi o que fizeram com Ella. Eles a torturaram. Fizeram-lhe testes. Ela não foi presa para inspirar penitência. Foi posta em isolamento porque fazia parte de um experimento contínuo.

E estou na posição única de saber que tal prisioneiro requer manutenção constante.

Imaginei que ficaria aqui por alguns dias – talvez uma semana –, mas me prenderam pelo que parece ser uma quantidade indeterminada de tempo...

Isso deve ser difícil para eles.

Por duas semanas, conseguiram ficar apenas ligeiramente à minha frente, um feito conquistado porque envenenaram minha comida. No treinamento, nunca precisei de mais do que uma semana para sair das prisões de alta segurança, e eles devem saber disso. Forçando-me a escolher entre a comida e clareza de mente todos os dias, eles se deram uma vantagem.

Ainda assim, não estou preocupado.

Quanto mais tempo fico aqui, mais influência ganho. Se eles sabem do que sou capaz, também devem saber que isso é insustentável. Eles não podem usar choque e veneno para me desestabilizar por tempo indefinido. Já estou aqui há tempo suficiente para avaliar o que me rodeia, e ando arquivando informações há quase duas semanas – os movimentos do sol, as fases da lua, o fabricante das fechaduras, a pia, as dobradiças incomuns na porta. Suspeitei, mas agora sei ao certo, que estou no hemisfério sul, não apenas porque sei que Max e Evie são oriundos da Oceania, mas porque as constelações do norte que vejo pela minha janela estão de cabeça para baixo.

Devo estar na base deles.

Logicamente, sei que devo ter passado por aqui algumas vezes na minha vida, mas as memórias são sombrias. Os céus noturnos são mais claros aqui do que no Setor 45. As estrelas, mais brilhantes. A falta de poluição luminosa significa que estamos longe da civilização, e a vista da janela é uma prova de que estamos cercados, por todos os lados, pela paisagem selvagem deste território. Há um lago enorme e brilhante não muito distante, o qual...

Algo desperta a vida na minha mente.
A memória de antes, expandida:

Ela encolhe os ombros e joga uma pedra no lago, que atinge a superfície com um espirro monótono.
— Bem, nós vamos apenas fugir — ela explica.
— Não podemos fugir — respondo. — Pare de dizer isso.
— Nós também podemos.
— Não há para onde ir.
— Há muitos lugares para ir.
Balanço a cabeça.
— Você sabe o que quero dizer. Eles nos encontrariam aonde quer que fôssemos. Eles nos observam o tempo todo.
— Nós podemos viver no lago — ela fala.
— O quê? — Eu quase rio. — Do que você está falando?
— Estou falando sério — diz ela. — Ouvi minha mãe falando sobre como tornar possível que as pessoas vivam debaixo d'água, e vou pedir a ela para me falar como é, e então nós vamos poder viver no lago.
Eu suspiro.
— Não podemos viver no lago, Ella.
— Por que não? — Ela se vira e olha para mim, os olhos arregalados, surpreendentemente brilhantes. Azuis esverdeados. Como o globo, eu acho. Como o mundo inteiro. — Por que não podemos viver no lago? Minha mãe diz que...
— Pare com isso, Ella. Pare...

Um suor frio irrompe na minha testa. Arrepios percorrem minha pele. *Ella.*

Ella Ella Ella

De novo e de novo.

Tudo a respeito desse nome está começando a soar familiar. O movimento da minha língua ao formar a palavra, familiar. É como se a memória estivesse nos meus músculos, como se minha boca fizesse esse formato mil vezes.

Eu me forço a respirar fundo.

Preciso encontrá-la. *Tenho que encontrá-la.*

Aqui está o que sei:

Leva menos de trinta segundos para os passos desaparecerem no corredor, e são sempre os mesmos – a mesma passada, a mesma cadência –, o que significa que há apenas uma pessoa me atendendo. Os passos são longos e pesados, o que significa que meu assistente é alto, possivelmente do sexo masculino. Talvez o próprio Max, caso me considerem um prisioneiro de alta prioridade. Ainda assim, me deixaram livre e sem ferimentos – *por quê?* –, e, embora eu não tenha recebido nem cama nem cobertor, tenho acesso à água da pia.

Não há eletricidade aqui; nem tomadas, nem fios. Mas deve haver câmeras escondidas em algum lugar, observando cada movimento meu. Há dois ralos: um na pia e um embaixo do vaso sanitário. A janela tem cerca de trinta por trinta centímetros – provavelmente vidro à prova de balas, talvez de oito a dez centímetros de espessura – e uma única e pequena entrada de ar no chão. O respiradouro não tem parafusos visíveis, o que significa que deve ser aparafusado por dentro, e as fendas são estreitas demais para os meus dedos, as lâminas de aço visivelmente soldadas no lugar. Ainda assim, é apenas um nível médio de segurança para um respiradouro na prisão. Um pouco mais de tempo e clareza, e vou encontrar uma maneira de remover a tela e repensar o uso das peças. Em algum momento, vou encontrar uma maneira de desmontar tudo nesta cela. Vou desmontar o vaso sanitário de metal, a pia de metal frágil. Vou fazer minhas próprias ferramentas e armas e encontrar uma maneira de desmontar lentamente as fechaduras e as dobradiças. Ou talvez eu danifique os canos e inunde a cela e o corredor adjacente, forçando alguém a vir até a porta.

Quanto mais cedo mandarem alguém para o meu quarto, melhor. Se me deixaram sozinho nesta cela por tanto tempo, foi para sua própria proteção, não para o meu sofrimento. Eu sou excelente no combate corpo a corpo.

Eu me conheço. Conheço minha capacidade de suportar torturas físicas e mentais complexas. Se eu quisesse, poderia me dar duas – talvez três – semanas para renunciar às refeições envenenadas e sobreviver só de água antes de perder a cabeça ou a mobilidade. Sei o quanto posso ser engenhoso, dada a oportunidade, e isso – esse esforço para me conter – deve ser exaustivo. Grande cuidado foi empregado em selecionar esses sons e refeições e rituais e até mesmo essa vigilante falta de comunicação.

Não faz sentido que eles tenham todo esse esforço por causa de traição. Não. Eu devo estar no purgatório para outra coisa.

Reviro meu cérebro em busca de um motivo, mas minhas memórias são surpreendentemente fracas quando se trata de Max e Evie. Ainda está se formando.

Com alguma dificuldade, consigo conjurar uma sucessão de imagens.

Um breve aperto de mão com meu pai.
Uma gargalhada.
Uma onda alegre de música festiva.
Um laboratório e minha mãe.
Eu endureço.
Um laboratório e minha mãe.
Concentro meus pensamentos, me demorando na memória – *luzes brilhantes, passos abafados, o som da minha própria voz fazendo uma pergunta ao meu pai e depois, dolorosamente...*
Minha mente fica vazia.
Enrugo a testa. Olho nas minhas mãos.
Nada.
Sei muito sobre os outros comandantes e suas famílias. Saber é da minha conta, mas há uma escassez incomum de informações no que diz respeito à Oceania e, pela primeira vez, isso faz disparar uma onda de choque pelo meu corpo. Há duas linhas de tempo se fundindo na minha mente – uma vida com Ella e uma vida sem ela – e ainda estou aprendendo a filtrar as informações em busca de algo real.

Ainda assim, pensar em Max e Evie agora parece forçar algo no meu cérebro. É como se houvesse algo lá, algo fora de alcance e, quanto mais forço minha mente a lembrar deles – seus rostos, suas vozes –, mais dói.

Por que todo esse transtorno em me aprisionar?
Por que não me matar logo?

Tenho tantas perguntas que isso está fazendo minha cabeça girar.

Bem nesse momento, a porta se abre. O som de metal no metal é afiado e abrasivo, o som parece uma lixa contra os meus nervos.

Ouço a fechadura destravar e sinto-me extraordinariamente calmo. Fui criado para lidar com essa vida, com seus golpes, com seus modos doentios e sádicos. A morte nunca me assustou.

Mas, quando a porta se abre, percebo o meu erro.

Imaginei mil cenários diferentes. Eu me preparei para uma miríade de oponentes, mas não havia me preparado para isso.

– Oi, aniversariante – diz ele, rindo ao entrar no espaço da luz. – Sentiu saudades de mim?

E, de repente, não consigo me mexer.

~~Juliette~~ Ella

— Parem... parem com isso, oh, meu Deus, isso é nojento! — grita Emmaline. — Parem com isso. Parem de se tocar! Vocês são tão nojentos...

Papai aperta a bunda da mamãe bem na nossa frente.

Emmaline grita.

— Oh, meu Deus, eu disse parem!

É sábado de manhã e sábado de manhã é quando fazemos panquecas, mas mamãe e papai não chegam a cozinhar nada porque não param de se beijar. Emmaline odeia isso.

Eu acho legal.

Sento-me no balcão da cozinha e apoio o rosto nas mãos, observando. Prefiro observar. Emmaline continua tentando me fazer trabalhar, mas não quero. Gosto mais de ficar sentada do que de trabalhar.

— Ninguém está fazendo panquecas! — Emmaline exclama, e gira com tanta raiva que derruba uma tigela de massa no chão. — Por que estou fazendo todo o trabalho?

Papai ri.

– *Querida, estamos todos juntos* – *diz ele, pegando a tigela caída. Ele apanha um monte de toalhas de papel e diz:* – *Isso não é mais importante do que as panquecas?*

– *Não* – *responde Emmaline, com raiva.* – *Era para fazermos panquecas. Hoje é sábado, o que significa que devemos fazer panquecas, e você e a mamãe estão apenas se beijando, e Ella está sendo preguiçosa...*

– *Ei...* – *intervenho e me levanto.*

– *... e ninguém está fazendo o que deveria estar fazendo e, em vez disso, estou preparando tudo sozinha...*

Mamãe e papai agora estão rindo.

– *Não é engraçado!* – *exclama Emmaline, e agora ela está gritando, lágrimas escorrendo pelo rosto.* – *Não é engraçado, e eu não gosto quando ninguém me escuta, e eu não...*

Duas semanas atrás, eu estava deitada em uma mesa de cirurgia, inerte, nua e com o sangue vazando por uma abertura na minha têmpora do tamanho de um ferimento por arma de fogo. Minha visão estava embaçada. Eu não conseguia ouvir muito mais do que o som da minha própria respiração, quente, pesada e, em todos os lugares, aumentando em torno de mim. De repente, Evie apareceu. Ela me encarava, parecendo frustrada. Estava tentando concluir o processo de *recalibração física*, como o chamava.

Por algum motivo, ela não conseguia terminar o trabalho.

Já tinha esvaziado o conteúdo de dezesseis seringas no meu cérebro e feito várias pequenas incisões no meu abdome, nos meus braços e nas minhas coxas. Não consegui enxergar o que ela fez em seguida, mas, enquanto realizava os procedimentos, afirmava que eram simples e que fortaleceriam minhas articulações e reforçariam meus músculos. Ela queria que eu fosse mais forte, que fosse mais resiliente em um nível celular. Era uma medida preventiva, explicou. Evie estava preocupada que minha constituição física fosse frágil demais; que meus músculos pudessem degenerar prematuramente diante de intensos desafios físicos. Ela não revelou isso, mas entendi: ela desejava que eu fosse mais forte que a minha irmã.

— Emmaline — sussurrei.

Por sorte eu estava exausta demais, destruída demais, sedada demais para falar com clareza. Era sorte que eu só ficasse ali, olhos abrindo e se fechando, meus lábios rachados tornando impossível fazer mais do que murmurar o nome. Era uma sorte que eu não conseguisse entender, imediatamente, que eu ainda era *eu*. Que eu ainda me lembrava de tudo, apesar das promessas de Evie de dissolver o que restava da minha mente.

Ainda assim, eu dissera a coisa errada.

Evie parou o que estava fazendo. Ela se inclinou sobre meu rosto e me estudou, nariz com nariz.

Pisquei.

Não

A palavra apareceu na minha cabeça como se tivesse sido plantada lá há muito tempo, como se eu estivesse lembrando, lembrando

Evie recuou e começou a falar em um dispositivo acoplado em seu punho. Sua voz era baixa e áspera e eu não conseguia entender o que dizia.

Pisquei mais uma vez. Confusa. Separei meus lábios para dizer alguma coisa, quando...

Não

O pensamento veio com mais ênfase desta vez.

Um momento depois, Evie estava diante da minha cara de novo, agora com uma metralhadora de perguntas.

quem é você
onde você está
qual é o seu nome
onde você nasceu
quantos anos você tem
quem são seus pais
onde você mora

Permaneci consciente o bastante para entender que Evie estava checando seu trabalho. Ela queria ter certeza de que meu cérebro estava limpo. Eu não tinha certeza do que deveria dizer ou fazer, então não falei nada.

Em vez disso, eu pisquei.

Pisquei muito.

Evie enfim – relutante – se afastou, mas não parecia totalmente convencida da minha estupidez. Cogitei que ela poderia me matar só para estar segura, ela parou. Ficou com o olhar fixo voltado para a parede.

E então foi embora.

Fiquei tremendo na mesa de operação por vinte minutos antes de a sala ser invadida por uma equipe. Eles soltaram meu corpo, lavaram e fizeram curativos sobre as feridas abertas.

Acho que eu estava gritando.

Algum tempo depois, a combinação de dor, exaustão e do lento gotejar de opiáceos me pegou, e desmaiei.

Nunca entendi o que aconteceu naquele dia.

Eu não pude perguntar, Evie nunca explicou, e a voz estranha e intensa na minha cabeça nunca retornou. Evie me sedava tanto nas minhas primeiras semanas naquele lugar que nem sequer havia chances.

Hoje, pela primeira vez desde aquele dia, ouço a voz de novo.

Estou de pé no meio do meu quarto, este vestido amarelo diáfano ainda amassado nos meus braços, quando a voz me agride.

Tira meu fôlego.

Ella

Giro no lugar, minha respiração retomando com velocidade. A voz é mais alta do que nunca, de uma intensidade assustadora. Talvez eu estivesse errada sobre o experimento de Evie, talvez isso seja parte dele, talvez alucinar e ouvir vozes seja um precursor do vazio...

Não

– Quem é você? – pergunto, o vestido caindo no chão. Ocorre-me de repente que estou de calcinha, gritando em um quarto vazio, e um arrepio violento atravessa meu corpo.

Bruscamente, puxo o vestido amarelo sobre a cabeça, suas camadas leves e macias como seda contra a minha pele. Em uma vida diferente, eu adoraria esse vestido. É bonito e confortável, a combinação perfeita de costura. Mas não há mais tempo para esse tipo de frivolidade.

Hoje, esse vestido é apenas uma parte do papel que devo desempenhar.

A voz na minha cabeça se silenciou, mas meu coração ainda está acelerado. Sinto-me impelida a me mover apenas pelo instinto e, rapidamente, calço um par de tênis brancos simples, amarrando firmemente os cadarços. Não sei por que, mas hoje, *neste momento*, por algum motivo – sinto que talvez eu precise correr.

Sim

Minha coluna se endireita.

A adrenalina percorre minhas veias e meus músculos ficam tensos, queimando com uma intensidade que parece nova para mim; é a primeira vez que sinto os efeitos positivos dos procedimentos de Evie. Essa força parece ter sido enxertada nos meus ossos, como se eu pudesse me lançar no ar, como se pudesse escalar uma parede com uma só mão.

Já conheci a superforça antes, mas sempre pareceu que vinha de outro lugar, como se fosse algo que eu precisasse dominar e então liberar. Sem minhas habilidades sobrenaturais – quando eu desligava meus poderes –, eu era deixada com um corpo inexpressivo e frágil. Fiquei desnutrida por anos, obrigada a suportar condições físicas e mentais extremas, e meu corpo sofria. Comecei a aprender formas adequadas de exercício e condicionamento apenas nos últimos meses e, embora eu tenha tido progresso, esse foi só o primeiro passo na direção certa.

Mas isso...

O que Evie fez comigo? Isto é diferente.

Duas semanas atrás eu estava com tanta dor que mal conseguia me mexer. Na manhã seguinte, quando enfim consegui ficar de pé sozinha, não vi nenhuma diferença visível no meu corpo, exceto que havia muitos tons de roxo na minha pele, da cabeça aos pés. Tudo estava ferido. Eu era uma agonia que caminhava.

Evie me disse, como minha médica, que ela me mantinha sedada para que eu fosse forçada a ficar parada para me curar mais rapidamente, mas não havia motivos para acreditar nela. Ainda não tenho, mas esta é a primeira vez em duas semanas que me sinto quase normal. As contusões quase desapareceram. Apenas os locais de incisão, que são mais dolorosos, ainda parecem um pouco amarelados.

Nada mal.

Flexiono os punhos e me sinto poderosa, verdadeiramente poderosa, mesmo com as algemas brilhantes presas em torno dos pulsos e tornozelos. Senti tanta falta dos meus poderes, senti mais falta deles do que jamais imaginei que pudesse sentir falta de algo que passei tantos anos odiando em mim. Mas, pela primeira vez em semanas, me sinto forte. Sei que Evie fez isso comigo – fez isso com os meus músculos – e sei que deveria desconfiar, mas é tão bom me sentir bem que quase não posso deixar de me divertir com tudo isso.

E, neste momento, sinto que poderia...

Corra

Fico imóvel.

corra

— O quê? — sussurro, virando-me para observar as paredes, o teto. — Correr para onde?

Para fora

As palavras trovejam através de mim, reverberam em meu peito. *Para fora*. Como se fosse assim tão simples, como se eu pudesse virar a maçaneta e me livrar desse pesadelo. Se fosse assim tão fácil sair deste quarto, eu já teria saído. Mas Evie reforça as fechaduras da minha porta com múltiplas camadas de segurança. Vi esses mecanismos apenas uma vez, quando ela me trouxe de volta ao quarto depois de permitir que eu olhasse para fora por alguns minutos. Além das câmeras discretas e das telas de retina, há um scanner biométrico que lê as impressões digitais de Evie para permitir seu acesso ao quarto. Passei horas tentando abrir a porta, sem sucesso.

Para fora

Mais uma vez, essas palavras, em alto som e severas dentro da minha cabeça. Há algo aterrorizante na esperança que serpenteia em mim ao pensar em escapar. Ele se agarra e puxa e me tenta a ser louca o suficiente para ouvir as absurdas alucinações que atacam minha mente.

Isso pode ser uma armadilha, penso.

Isso tudo poderia ser coisa de Evie. E eu cairia direto em sua mão. Ainda assim...

Não posso evitar.

Atravesso o quarto em alguns passos rápidos. Hesito, a mão pairando sobre a maçaneta e, com uma expiração final, cedo.

A porta se abre facilmente.

Estou no vão da porta aberta, meu coração acelerado. Uma corrida inebriante de sentimentos surge através de mim e analiso o entorno desesperadamente, estudando os muitos corredores que se estendem diante de mim.

Isso parece impossível.

Não tenho ideia de para onde ir. Não faço ideia se sou louca por ouvir uma voz manipuladora na minha cabeça depois que minha mãe psicótica passou horas injetando coisas na minha mente.

É só quando lembro que ouvi essa voz pela primeira vez na noite em que cheguei – momentos antes de Evie começar a me torturar – que começo a duvidar das minhas dúvidas.

Morrendo

Foi isso que a voz me disse naquela primeira noite. *Morrendo*.

Eu estava deitada em uma mesa de cirurgia, incapaz de me mover ou falar. Eu só conseguia gritar dentro da minha cabeça e queria saber onde Emmaline estava. Eu tentei gritar.

Morrendo, a voz dissera.

Um medo frio e paralisante enche meu sangue.
– Emmaline? – sussurro. – É você?

Socorro

Dou um passo determinado em frente.

Warner

— Estou um pouco adiantado – diz ele. – Sei que seu aniversário é amanhã, mas não consegui esperar mais.

Olho para meu pai como se ele fosse um fantasma. Pior, um *poltergeist*. Não consigo falar e, por alguma razão, ele não parece se importar com o meu silêncio.

Então...

Ele sorri.

É um sorriso verdadeiro, que suaviza suas feições e ilumina seus olhos. Estamos no que parece ser uma sala de estar, um espaço aberto e luminoso com sofás macios, cadeiras, uma mesa redonda e uma pequena escrivaninha no canto. Há um tapete grosso sob os pés. As paredes são de um agradável amarelo clarinho, o sol entra pelas grandes janelas. A silhueta do meu pai está na contraluz. Ele parece etéreo. Brilha, como se pudesse ser um anjo.

Este mundo tem um senso de humor doentio.

Ele me jogou um roupão quando entrou na minha cela, mas não me ofereceu mais nada. Não tive a chance de me trocar. Não recebi comida ou água. Sinto-me malvestido – vulnerável – sentado na frente dele em nada além de roupa íntima fria e um roupão frio. Eu nem tenho meias. Chinelos. *Coisa alguma.*

Só posso imaginar com o que me pareço agora, considerando que faz algumas semanas desde que fiz a barba ou cortei o cabelo. Consegui me manter limpo na prisão, mas meu cabelo está um pouco mais comprido. Não é como costumava ser, mas está chegando lá. E meu rosto...

Toco meu rosto quase sem pensar.

Tocar meu rosto se tornou um hábito nessas últimas duas semanas. Estou com barba. Não é muita, mas é o suficiente para me surpreender toda vez. Não tenho ideia de que aparência devo ter agora.

Selvagem, talvez.

Por fim, falo:

– Você deveria estar morto.

– Surpresa – diz ele, e sorri.

Encaro-o.

Meu pai se encosta na mesa e enfia as mãos nos bolsos da calça de um jeito que o faz parecer um menino. Encantador.

Isso me faz sentir náusea.

Desvio o olhar, examinando a sala em busca de ajuda. Detalhes. Algo em que me enraizar, algo para explicar a presença *dele*, algo para me armar contra o que poderia estar vindo.

Paro de repente.

Ele ri.

– Sabe, você poderia mostrar um pouco mais de emoção. Eu realmente pensei que você poderia ficar feliz em me ver.

Isso chama minha atenção.

— Pensou errado – afirmo. – Fiquei feliz em saber que estava morto.

— Tem certeza? – Ele inclina a cabeça de lado. – Tem certeza de que não derramou uma única lágrima por mim? Não sentiu nem um pouquinho da minha falta?

Há um momento de hesitação. O intervalo de meio segundo, durante o qual me lembro das semanas que passei preso numa prisão de luto, odiando-me por lamentar a perda dele e odiando o fato de eu nem sequer ter me importado.

Abro a boca para falar e ele me interrompe, seu sorriso triunfante.

— Sei que isso deve ser um pouco inquietante. E sei que você vai fingir que não se importa, mas nós dois sabemos que seu coração sangrando sempre foi a fonte de todos os nossos problemas, e não faz sentido tentar negar isso agora. Então, vou ser generoso e me oferecer para ignorar seu comportamento de traição.

Minha coluna enrijece.

— Você não acha que eu ia esquecer, não é? – Meu pai não está mais sorrindo. – Você tenta derrubar *a mim*, o meu governo, o meu continente, depois se exime e fica de lado como um completo idiota enquanto sua namorada tenta me *matar*, e você pensou que eu nunca tocaria no assunto?

Não posso mais fitá-lo. Não suporto a visão do seu rosto, tão parecido com o meu. Sua pele ainda é perfeita, sem cicatrizes. Como se ele nunca tivesse sido ferido. Nunca tivesse levado uma bala na testa.

Eu não entendo.

— Não? Você ainda não se inspirou para responder? – ele diz. – Nesse caso, você pode ser mais esperto do que achei.

Isso. Isso se parece mais com ele.

— Mas o fato é que estamos em uma importante encruzilhada agora. Tive que cobrar uma série de favores para que você fosse transportado para cá ileso. O conselho ia votar para você ser executado por traição, mas fui capaz de convencê-los do contrário.

— Por que se incomodaria?

Seus olhos se estreitam enquanto ele me avalia.

— Eu salvo sua vida — ele afirma — e esta é sua reação? Insolência? Ingratidão?

— Isto — solto bruscamente — é a sua ideia de salvar minha vida? Me jogar na prisão e me envenenar até a morte?

— Isto deveria ter sido um piquenique. — Seu olhar esfria. — Você realmente estaria melhor morto se essas circunstâncias fossem suficientes para derrotar você.

Não digo nada.

— Além disso, tivemos que punir você de alguma forma. Suas ações não poderiam passar despercebidas. — Meu pai desvia o olhar. — Tivemos muitas confusões para arrumar — diz ele finalmente. — Onde você acha que eu estive todo esse tempo?

— Como já falei, pensei que estivesse morto.

— Perto disso, mas não completamente. Na verdade — ele explica, respirando fundo — passei um bom tempo convalescendo. *Aqui*. Fui trazido de volta para cá, onde os Sommers me reanimaram. — Ele puxa a barra da calça e vislumbro o brilho prateado de metal onde seu tornozelo deveria estar. Tenho novos pés — diz ele, e ri. — Você acredita nisso?

Não consigo. Não consigo acreditar.

Estou perplexo.

Ele sorri, obviamente satisfeito com a minha reação.

— Nós deixamos você e seus amigos pensarem que tinham conquistado uma vitória apenas por tempo suficiente para me recuperar. Enviamos o resto dos garotos para distraí-lo, para fazer parecer que o Restabelecimento poderia realmente aceitar seu novo comandante autoproclamado. – Ele balança a cabeça. – Uma criança de dezessete anos que se declara governante da América do Norte – diz ele, quase para si mesmo. E então, olhando para cima: – Aquela garota realmente foi uma encrenca, não foi?

O pânico se acumula no meu peito.

— O que fizeram com ela? Onde ela está?

— Não. – O sorriso do meu pai desaparece. – Absolutamente não.

— O que isso significa?

— Significa *absolutamente* não. Aquela garota já era. Ela se foi. Chega de sessão da tarde com seus amigos do Ponto Ômega. Chega de correr pelado com a sua namoradinha. Chega de sexo à tarde, quando você deveria estar trabalhando.

Sinto-me doente e enraivecido.

— Não se atreva... *Nunca* fale dela assim. O senhor não tem direito...

Ele dá um suspiro longo e alto. Murmura algo horrível.

— Quando você vai parar com isso? Quando vai crescer e superar isso?

Preciso de todas as minhas forças para reprimir a raiva. Ficar aqui sentado, calmamente, e não dizer nada. De alguma forma, meu silêncio piora as coisas.

— Maldição, Aaron – ele exaspera, ficando de pé. – Continuo esperando que você siga em frente. Que supere aquela menina.

Que *evolua* – ele está praticamente gritando comigo agora. – Já faz mais de uma década da mesma besteira.

Mais de uma década.

Uma escorregada.

– O que quer dizer? – pergunto, estudando-o com cuidado. – Mais de uma década?

– Estou exagerando – meu pai tenta se explicar, engolindo as palavras. – Exagerando como força de expressão.

– *Mentiroso.*

Pela primeira vez, algo incerto passa por seus olhos.

– Vai admitir ou não? – indago em voz baixa. – Vai admitir para mim o que já sei?

Ele tensiona a mandíbula. Não diz nada.

– *Admita* – insisto. – Juliette era um pseudônimo. Juliette Ferrars é na verdade Ella Sommers, filha de Evie e Maximillian Som...

– Como... – Meu pai se contém. Ele desvia o olhar e então, muito cedo, olha para trás. Parece estar decidindo alguma coisa.

Por fim, lentamente, ele concorda.

– Sabe de uma coisa? É melhor assim. É melhor que você saiba – afirma baixinho. – É melhor que entenda exatamente por que nunca mais a verá.

– Essa decisão não é sua.

– Não é minha? – Raiva entra e sai de seus olhos, sua máscara fria e indiferente logo desmoronando. – Aquela garota tem sido a perdição da minha existência por *doze anos*. Ela me causou mais problemas do que você sequer consegue entender, o que não é menos importante do que distrair meu filho idiota durante a maior parte da última década. Apesar de todos os meus esforços para separá-los, para remover esse câncer de nossas vidas, você insistiu, de novo e de novo, em se apaixonar por ela. – Ele me encara; seu semblante é de pura fúria. – Ela nunca lhe foi destinada. Ela nunca foi destinada a nada disso. Aquela garota foi condenada à morte – ele diz violentamente – no momento em que a chamei de Juliette.

Meu coração está batendo tão forte que parece um sonho. Deve ser um pesadelo. Forço-me a falar. A dizer:

– Do que o senhor está falando?

A boca do meu pai torce na imitação de um sorriso.

– Ella – meu pai explica – foi projetada para se tornar uma ferramenta de guerra. Ela e a irmã, desde o começo. Décadas antes de assumirmos, as doenças estavam começando a devastar a população. O governo estava tentando enterrar as informações, mas nós sabíamos. Eu vi os arquivos confidenciais. Rastreei um dos esconderijos secretos. As pessoas não estavam funcionando do jeito certo, estavam se metamorfoseando tanto que parecia quase a próxima fase da evolução. Somente Evie teve a sagacidade de enxergar a doença como uma ferramenta. Foi ela quem primeiro começou a estudar os *não naturais*. Ela foi a razão pela qual criamos os hospícios, ela queria acesso a mais variedades da doença, e foi ela quem aprendeu a isolar e reproduzir o DNA estranho. Foi ideia dela usar as descobertas para ajudar a nossa causa. Ella e Emmaline – ele revela com raiva – só foram feitas para serem experiências científicas de Evie. Ella nunca foi destinada a você. Nunca foi destinada a *ninguém*! – ele grita. – Tire-a da sua cabeça.

Sinto-me paralisado enquanto as palavras se assentam ao meu redor. Dentro de mim. A revelação não é inteiramente nova e ainda assim... a dor é nova. O tempo parece desacelerar, acelerar, girar para trás. Meus olhos se fecham. Minhas memórias se recolhem e se expandem, explodindo com um significado renovado à medida que me atacam de uma só vez...

Ella através dos tempos.

Minha amiga de infância.

Ella, arrancada de mim quando eu tinha sete anos. Ella e Emmaline, que eles disseram que se afogaram no lago. Eles me disseram para esquecer, esquecer que as garotas tinham existido e, por fim, cansados de responder a minhas perguntas, avisaram que tornariam as coisas mais fáceis para mim. Segui meu pai para uma sala onde ele prometeu que explicaria tudo.

E então...

Estou amarrado a uma cadeira, minha cabeça presa no lugar com grampos pesados de metal. Luzes brilhantes piscam e zumbem acima de mim.

Ouço os monitores cantarolando, os sons abafados de vozes ao meu redor. A sala parece grande e cavernosa, reluzente. Ouço os sons altos e desconcertantes da minha própria respiração e as batidas fortes e pesadas do meu coração. Dou uma sacudida com a sensação indesejada da mão do meu pai no meu braço, dizendo que vou me sentir melhor em breve.

Olho para ele como se estivesse saindo de um sonho.

– O que foi isso? – ele pergunta. – O que acabou de acontecer?

Afasto os lábios para falar, me pergunto se é seguro dizer a verdade.

Decido que estou cansado das mentiras.

— Tenho lembrado dela – respondo.

O rosto do meu pai de súbito se torna vazio e é a única reação que preciso para entender a última peça que falta.

— Você tem roubado as minhas memórias – falo, minha voz anormalmente calma. – Todos esses anos. Você mexeu na minha mente. Foi você.

Ele se mantém em silêncio, mas vejo a tensão em sua mandíbula, o súbito salto de uma veia sob a pele.

— O que você está lembrando?

Balanço a cabeça, atordoado olhando para ele.

— Eu deveria saber. Depois de tudo o que fez comigo... – Paro, minha visão muda, desfoca-se por um momento. – Claro que você não me deixaria dominar minha própria mente.

— O que, exatamente, você está lembrando? – indaga, agora incapaz de controlar a raiva na voz. – O que mais você sabe?

No começo, não sinto nada.

Eu me treinei muito bem. Anos de prática me ensinaram a enterrar minhas emoções como um reflexo – especialmente na presença dele – e levo alguns segundos para que os sentimentos surjam. Eles se formam devagar, infinitas mãos projetando-se de infinitas covas para atiçar as chamas de uma antiga fúria que nunca me permiti tocar.

— Você roubou minhas memórias dela – murmuro. – Por quê?

— Sempre tão focado na menina. – Ele me fita. – Ela não é o centro de tudo, Aaron. Eu roubei suas memórias de muitas coisas.

Meneio a cabeça. Levanto-me lentamente, ao mesmo tempo louco de raiva e perfeitamente calmo, e me preocupo, por um momento, que eu possa de fato morrer por causa da intensidade de tudo que sinto por ele. Um ódio tão profundo que poderia me cozinhar vivo.

— Por que você faria algo assim se não fosse para me torturar? Sabendo o que eu sentia por ela. Você fez de propósito. Nos empurrando um para o outro e nos separando... — Paro de repente. A conclusão é como o amanhecer na minha mente, brilhante e penetrante, e miro meu pai, incapaz de entender a profundidade de sua crueldade.

— Você colocou Kent sob meu comando de propósito — observo.

Meu pai encontra meus olhos com uma expressão vaga. Ele não diz nada.

— Acho difícil acreditar que você não soubesse do paradeiro dos seus filhos ilegítimos — solto. — Não acredito nem por um segundo que você não estivesse monitorando todos os movimentos de Kent. Você deveria saber o que ele estava fazendo com a vida dele. Você deve ter sido notificado assim que ele se alistou. Você poderia tê-lo enviado para qualquer lugar. Você tinha o poder para fazer isso. Porém, você deixou que ele permanecesse no Setor 45, sob a *minha* jurisdição, de propósito. Não foi? E quando você fez Delalieu me mostrar esses arquivos, quando ele veio até mim, me convenceu de que Kent seria o companheiro de cela perfeito para Juliette porque aqui estava a prova de que ele a conhecia, que eles tinham frequentado a escola juntos...

De repente, meu pai sorri.

— Sempre tentei te dizer — assegura em voz baixa. — Tentei te falar para parar de deixar as emoções governarem a sua mente. Repetidas vezes tentei te ensinar e você nunca deu ouvidos. Você nunca aprendeu. – Ele balança a cabeça. – Se agora você sofre, é porque causou isso a si mesmo. Você se tornou um alvo fácil.

Estou atordoado.

De alguma forma, mesmo depois de tudo, ele consegue me chocar.

– Não entendo como você pode defender suas ações depois de passar vinte anos me torturando.

– Eu só tenho tentado te ensinar uma lição, Aaron. Eu não queria que acabasse como a sua mãe. Ela era fraca, assim como você.

Eu preciso matá-lo.

Visualizo na mente: como seria prendê-lo ao chão, apunhalá-lo diversas vezes no coração, ver a luz escapar de seus olhos, sentir seu corpo esfriar sob as minhas mãos.

Eu espero o medo.

A repulsão.

O arrependimento.

Eles não vêm.

Não tenho ideia de como ele sobreviveu ao último atentado contra a sua vida, mas não me importo mais em saber a resposta. Quero ele morto. Quero ver seu sangue se acumular nas minhas mãos. Quero arrancar sua garganta do pescoço.

Espio um abridor de cartas na escrivaninha próxima e, no segundo que levo para apanhá-lo, meu pai dá risada.

Ele dá risada.

Alto. Com o corpo dobrado, se segurando com as mãos. Quando ele olha para cima, há lágrimas reais em seus olhos.

– Você perdeu o juízo? Aaron, não seja ridículo.

Dou um passo à frente, o abridor de cartas apertado no meu punho, e observo, com cuidado, quando ele entende que vou matá-lo.

Quero que ele saiba que serei eu. Quero que ele saiba que enfim conseguiu o que desejava.

Que ele enfim me destruiu.

— Você cometeu um erro poupando minha vida — falo baixinho. — Cometeu um erro ao mostrar o seu rosto. Você cometeu um erro pensando que poderia me pedir para voltar, depois de tudo o que fez...

— Você não me entende. — Ele está em pé de novo, a risada desaparecendo de seu rosto. — Não estou pedindo para você voltar. Você não tem escolha.

— Que bom. Isso torna tudo mais fácil.

— Aaron. — Ele balança a cabeça. — Não estou desarmado. E estou disposto a matá-lo caso saia da linha. Embora eu não possa afirmar que matar meu filho é a minha forma favorita de passar uma manhã, isso não significa que não o farei. Então você precisa parar e pensar por um momento, antes de dar um passo à frente e cometer suicídio.

Eu o observo. Meus dedos flexionam ao redor da arma na minha mão.

— Diga onde ela está — peço —, e vou considerar poupar sua vida.

— Seu idiota. Você não está me ouvindo? *Ela se foi.*

Eu endureço. Seja lá o que esteja dizendo, ele não está mentindo.

— Foi para onde?

— *Se foi* — ele exaspera com raiva. — Desapareceu. A garota que você conheceu não existe mais.

Ele tira um controle remoto do bolso da jaqueta e aponta para a parede. Uma imagem aparece instantaneamente, projetada de outro lugar, e o som que enche a sala é tão repentino — tão chocante e inesperado — que quase me deixa de joelhos.

É a Ella.

Ela está gritando.

O sangue escorre por sua boca aberta em um grito, os sons angustiantes perfurados apenas pelos soluços que arrancam a respiração ofegante de seu corpo. Seus olhos estão entreabertos, delirantes, e vejo-a ser solta de uma cadeira e arrastada para uma maca. O corpo sofre espasmos, os braços e as pernas tremem incontrolavelmente. Ela está em uma camisola de hospital branca, as amarrações inconsistentes vão se desfazendo, o tecido fino úmido com seu próprio sangue.

Minhas mãos tremem enquanto observo, sua cabeça chicoteando para a frente e para trás, seu corpo lutando contra as restrições. Ela grita mais uma vez, e um raio de dor dispara em mim, tão excruciante que quase me dobra ao meio. E então, rapidamente, como se materializando-se do nada, alguém dá um passo à frente e espeta uma agulha no pescoço dela.

Ella fica imóvel.

Seu corpo está congelado, seu rosto capturado em um único momento de agonia antes que a droga entre em ação, fazendo-a desabar. Seus gritos se dissolvem em gemidos menores e mais constantes. Ela chora, mesmo quando seus olhos se fecham.

Sinto uma intensa náusea.

Minhas mãos estão tremendo tanto que não consigo mais fechá-las em punhos, e observo, como se de longe, o abridor de cartas cair no chão. Permaneço em silêncio, contendo com força a vontade de vomitar, mas a ação provoca um arrepio tão desorientador que quase perco o equilíbrio. Lentamente me viro para encarar meu pai, cujos olhos são inescrutáveis.

Preciso de duas tentativas para conseguir formar uma única pergunta sussurrada:

– O quê?

Ele balança a cabeça, a imagem de falsa compaixão.

– Estou tentando fazer você entender. Isso – ele explica, acenando para a tela – é para isso que ela foi destinada. Para sempre. Pare de imaginar sua vida com ela. Pare de pensar nela como uma *pessoa*...

– Isso não pode ser real – interrompo-o. Eu me sinto maluco. Desequilibrado. – Isso... Diga-me que isso não é real. O que você está fazendo comigo? Isso é...

– Claro que é real – meu pai assegura. – Juliette se foi. Ella se foi. Pode considerá-la morta. Ela teve a mente apagada *semanas* atrás. Mas você – ele diz – você ainda tem uma vida para viver. Está me ouvindo? Você precisa se recompor.

Mas não consigo ouvi-lo por cima do som de Ella chorando.

Ela ainda está chorando – os sons são mais suaves, mais tristes, mais desesperados. Ela parece aterrorizada. Pequenas e desamparadas mãos estranhas enfaixam as feridas abertas em seus braços, o dorso de suas pernas. Vejo algemas brilhantes de metal serem presas em seus pulsos e tornozelos. Ela choraminga mais uma vez.

Estou enlouquecendo.

Eu devo estar. Ouvindo o grito dela – observando-a lutar por sua vida, observando-a engasgar com o próprio sangue enquanto estou aqui, impotente para ajudá-la...

Nunca poderei esquecer o som.

Não importa o que aconteça, não importa para onde eu corra, esses gritos – os gritos dela – vão me assombrar para sempre.

— Você queria que eu assistisse a isso? — Estou sussurrando agora; mal consigo falar. — Por que você quer que eu assista a isso?

Ele diz algo para mim. Grita algo, contudo, de repente fico surdo.

Os sons do mundo parecem distorcidos, distantes, como se minha cabeça estivesse submersa na água. O fogo no meu cérebro foi apagado, substituído por uma súbita e absoluta calma. Uma sensação de certeza. Sei o que preciso fazer agora. E sei que não há nada — nada que eu não vá fazer para chegar até ela.

Sou capaz de sentir minha moral se dissolvendo. Sinto minha frágil pele de humanidade roída pelas traças começar a se desfazer e, com ela, o véu que me protege da completa escuridão. Não há fronteiras que eu não vá cruzar. Nenhuma ilusão de misericórdia.

Eu queria ser melhor para ela. Para a felicidade dela. Para o futuro dela.

Mas, se ela se foi, para que isso serviria?

Inspiro profundamente, tento me estabilizar. Me sinto livre, de uma maneira estranha. Não estou mais preso a uma obrigação de decência. E, em um movimento simples, pego o abridor de cartas que deixei cair no chão.

— Aaron — meu pai alerta, um aviso em sua voz.

— Não quero ouvir você falar — respondo. — Não quero que você fale comigo nunca mais.

Lanço o abridor de cartas antes mesmo de as palavras saírem da minha boca. Voa forte e rápido, e aproveito o segundo em que o objeto se eleva no ar. Gosto do jeito como o segundo se expande, explodindo na estranheza do tempo. Tudo parece um movimento lento. Os olhos do meu pai se arregalam em uma exibição rara de choque desmascarado, e sorrio ao som de seu suspiro quando a arma encontra sua marca. Eu estava apontando para sua jugular, e parece que minha mira foi certeira. Ele se engasga, seus olhos se arregalam quando suas mãos se movem, trêmulas, para arrancar o abridor de cartas da incisão no pescoço.

Ele tosse. De repente há respingos de sangue por toda parte e, com algum esforço, consegue extrair a lâmina. Sangue vívido jorra por sua camisa e sai de sua boca. Ele não consegue falar; a lâmina penetrou a laringe. Em vez disso, ele ofega, ainda sufocando, a boca abrindo e fechando como um peixe que está morrendo.

Meu pai cai de joelhos.

Suas mãos tentam se agarrar no ar, suas veias saltam sob a pele e dou um passo em direção a ele. Observo-o enquanto ele implora silenciosamente por alguma coisa, empurro-o até o chão e embolso as duas armas que encontro escondidas nele.

– Aproveite o inferno – sussurro, antes de sair andando.

Nada mais importa.

Tenho de encontrá-la.

~~Juliette~~ Ella

Esquerda.
Direita.
Em frente.
Esquerda.

Os comandos mantêm meus pés andando com segurança pelo corredor. Este complexo é vasto. Enorme. Meu quarto era tão comum que conhecer este edifício é chocante. Um quadro aberto revela muitas dezenas de andares, corredores e escadarias entrelaçados como viadutos e rodovias. O teto parece estar a quilômetros de distância, alto, arqueado e intrincado. Vigas de aço expostas encontram passarelas brancas e limpas centradas em torno de um pátio interno aberto. Eu não tinha ideia de que estava tão no alto. E, de alguma forma, para um edifício tão grande, ainda não fui avistada.

As coisas estão ficando mais assustadoras a cada minuto.

Não encontro ninguém enquanto prossigo; sou ordenada a correr, desviar ou me esconder bem a tempo de evitar transeuntes.

É estranho. Ainda assim, estou andando há pelo menos vinte minutos, e parece que não estou chegando a lugar nenhum. Não tenho ideia de onde estou e não há janelas próximas. O lugar inteiro parece uma prisão dourada.

Um longo período de silêncio entre mim e minha amiga imaginária começa a me deixar nervosa. Acho que essa voz pode ser da Emmaline, mas ela ainda não confirmou. E, embora eu queira dizer algo, me sinto boba falando em voz alta. Então falo apenas dentro da minha mente:

Emmaline? Você está aí?

Sem resposta.
Meu nervosismo atinge o ápice e paro de andar.

Para onde está me levando?

Desta vez, a resposta vem rápida:

Fuga

Estamos nos aproximando?, pergunto.

Sim

Respiro fundo e vou em frente, mas sinto um medo rastejante se infiltrar nos meus sentidos. Quanto mais ando – por corredores e escadas infinitas –, mais perto pareço estar chegando de *algo* – algo que me enche de medo. Não consigo explicar.

Está claro que me dirijo ao subterrâneo.

As luzes estão diminuindo conforme prossigo. Os corredores se estreitam. As janelas e escadas começam a desaparecer. Percebo que me aproximo do cerne do prédio quando as paredes mudam. Já se foram as paredes brancas e lisas dos andares superiores. Aqui tudo é cimento inacabado. Tem um cheiro frio e úmido. Terroso. As luzes zumbem e zumbem, ocasionalmente queimam.

O medo continua a pulsar na minha espinha.

Desço com cautela por um leve declive, meus tênis escorregando um pouco pelo caminho. Meus pulmões se apertam. Meus batimentos cardíacos parecem altos, muito altos, e uma sensação estranha começa a encher meus braços e pernas. Sensações. Sensações demais fazem minha pele arrepiar, fazem meus ossos coçarem. Sinto-me subitamente inquieta e ansiosa. E assim como estou prestes a perder a esperança nesta rota de fuga maluca e sinuosa...

Aqui

Eu paro.

Estou em frente a uma porta gigante de pedra. Meu coração está saindo pela boca. Hesito; o medo começa a fissurar minha certeza.

Abra

– Quem é você? – pergunto novamente, desta vez falando em voz alta. – Isso não parece uma rota de fuga.

Abra

Fecho os olhos com força; encho meus pulmões com ar.

Eu cheguei até aqui, digo para mim mesma. Não tenho outras opções no momento. Não custa ver o que há do outro lado.

Mas, quando abro a porta, percebo que é apenas a primeira de várias. Para onde quer que eu esteja indo, está protegido por várias camadas de segurança. Os mecanismos necessários para abrir cada porta são desconcertantes – não há maçanetas ou puxadores, nem dobradiças tradicionais –, basta tocar a porta para que ela se abra.

É fácil demais.

Finalmente, estou em frente a uma parede de aço. Não há nada aqui para indicar que pode haver uma sala do outro lado.

Toque

Com cautela, incerta, encosto os dedos no metal.

Mais

Com firmeza, pressiono a mão inteira contra a porta e, em segundos, a parede se derrete. Olho em volta nervosamente e dou um passo à frente.

De imediato, sei que fui levada para um lugar errado.

Sinto-me zonza quando olho em volta, zonza e aterrorizada. Este lugar está tão longe de uma fuga que quase não acredito que caí nessa. Estou em um laboratório.

Outro laboratório.

O pânico faz algo desabar dentro de mim, ossos e órgãos colidindo, sangue correndo para a minha cabeça. Apresso-me à porta e ela se fecha, a parede de aço se forma facilmente, como se feita de ar.

Inspiro algumas vezes, com força, implorando calma para mim mesma.

– Mostre-se! – grito. – Quem é você? O que você quer comigo?

Socorro

Meu coração estremece e para. Sinto meu medo se expandir e se contrair.

Morrendo

Arrepios se erguem ao longo da minha pele. Minha respiração se enrosca; meus punhos se apertam. Dou um passo adentrando o recinto, e depois mais alguns. Ainda estou cautelosa, preocupada, isso tudo é mais uma parte do truque...

Então eu vejo.

Um cilindro de vidro tão alto e largo quanto a parede, cheio até a boca com água. Há uma criatura flutuando dentro dela. Algo maior que o medo está me levando em frente, maior que a curiosidade, maior que o espanto.

A emoção se derrama sobre mim.

Memórias colidem em mim.

Um braço fino e comprido atravessa a água turva, os dedos trêmulos formam um punho frouxo que bate de leve contra o vidro.

No início, tudo que vejo é a mão dela.

Mas, quanto mais me aproximo, mais claramente enxergo o que fizeram com ela. E não consigo esconder meu horror.

Ela chega um pouquinho mais perto do vidro e eu vejo seu rosto. Ela praticamente não tem mais um rosto. Sua boca foi selada em torno de um regulador, pele fina como teia de aranha ao redor do silicone. Seu cabelo tem uns sessenta centímetros de comprimento, escuro e selvagem e flutuando em torno da cabeça como tentáculos finos. Seu nariz derreteu-se e se fundiu ao crânio e seus olhos estão permanentemente fechados, cílios longos e escuros são a única indicação que eles costumavam se abrir. As mãos e pés estão palmados. Ela não tem unhas. Seus braços e pernas são quase só ossos e pele flácida e enrugada.

– Emmaline – sussurro.

Morrendo

As lágrimas vêm quentes e rápidas, me atingindo sem aviso, me quebrando por dentro.

– O que fizeram com você? – pergunto, minha voz rouca. – Como eles poderiam fazer isso com você?

Um som metálico e abafado. Duas vezes.

Emmaline está flutuando mais perto. Ela pressiona os dedos contra a barreira entre nós e avanço depressa, enxugando os olhos antes de encontrá-la. Pressiono a palma da mão no vidro e, de alguma forma, impossivelmente, eu a sinto pegar minha mão. Suave. Quente. Forte.

E então, com um suspiro...

Sentimentos pulsam em mim, onda após onda de *sentimentos*, emoções tão infinitas como o tempo. Memórias, desejos, esperanças e sonhos há muito extintos. A força de tudo faz minha cabeça girar; caio para a frente e cerro os dentes, firmando-me e pressionando minha testa contra a barreira que há entre nós. As imagens preenchem minha mente como quadros artificiais de um filme antigo.

A vida de Emmaline.

Ela quer que eu saiba. Sinto que estou sendo puxada para dentro dela, como se ela estivesse me enrolando em seu próprio corpo, me submergindo em sua mente. Suas memórias.

Eu a vejo mais jovem, muito mais jovem, com oito ou nove anos de idade. Ela estava animada, furiosa. Difícil de controlar. Sua mente era mais forte do que ela podia lidar e ela não sabia como se sentir em relação a seus poderes. Ela se sentia amaldiçoada, estrangulada por eles, mas, ao contrário de mim, ela foi mantida em casa, aqui, neste exato laboratório, forçada a passar por teste após teste administrado por seus próprios pais. Sinto sua raiva me penetrar.

Pela primeira vez, percebo que tive o luxo de esquecer.

Ela não teve.

Max e Evie – e até mesmo Anderson – tentaram apagar a memória de Emmaline várias vezes, mas a cada tentativa o corpo de Emmaline prevalecia. Sua mente era tão forte que ela foi capaz de convencer seu cérebro a reverter a química destinada a dissolver suas memórias. Não importa o que Max e Evie tentassem, Emmaline nunca pôde esquecê-los.

Em vez disso, ela viu seus pais se virarem contra ela.

Virá-la do avesso.

Emmaline está me contando tudo sem dizer uma palavra. Ela não pode falar, pois perdeu quatro dos seus cinco sentidos.

Primeiro ela ficou cega.

Perdeu o olfato e o tato um ano depois, ambos ao mesmo tempo. Por fim, perdeu a capacidade de falar. Sua língua e seus dentes se desintegraram. Suas cordas vocais se erodiram. Sua boca se fechou permanentemente.

Agora ela só pode ouvir. Mal.

Vejo as cenas mudarem, vejo-a crescer um pouco mais, ficar um pouco pior, mais destruída. Vejo o fogo se extinguir de seus olhos. E então, quando ela percebe o que lhe foi planejado... Toda a razão pela qual eles a queriam, tão desesperadamente...

O horror me tira o fôlego.

Eu caio, os joelhos batendo no chão. A força de seus sentimentos me abre. Os soluços quebram minhas costas, se estremecem pelos meus ossos. Eu sinto tudo. Sua dor, sua dor sem fim.

Sua incapacidade de acabar com o próprio sofrimento.

Ela quer que isso acabe.

Acabe, ela diz, a palavra afiada e explosiva.

Com algum esforço, consigo levantar a cabeça e olhar para ela.

– Esse tempo todo era você? – sussurro. – Você me devolveu minhas memórias?

Sim

– Como? Por quê?

Ela me mostra.

Sinto minha espinha se endireitar e a visão se movendo através de mim. Vejo Evie e Max, ouço suas conversas distorcidas de dentro da prisão de vidro. Eles tentaram fortalecer Emmaline ao longo dos anos, tentaram encontrar maneiras de melhorar as habilidades telecinéticas dela. Queriam que suas habilidades evoluíssem para que ela fosse capaz de realizar controle mental.

Controle mental das massas.

Saiu pela culatra.

Quanto mais lhe faziam experimentos – quanto mais a pressionavam –, mais forte e mais fraca ela se tornava. Sua mente foi capaz de lidar com as manipulações físicas, mas seu coração não aguentou. Ao mesmo tempo em que a estavam construindo, também a estavam destruindo.

Ela perdeu a vontade de viver. De lutar.

Ela não tinha mais controle sobre o próprio corpo; até seus poderes agora eram regulados por Max e Evie. Ela se tornaria uma marionete. E, quanto mais indiferente ela se tornava, menos eles entendiam. Max e Evie pensaram que Emmaline estava se tornando complacente.

Em vez disso, ela estava se deteriorando.

E então...

Em outra cena, Emmaline ouve uma discussão. Max e Evie estão discutindo a *meu* respeito. Emmaline não os ouviu falar de mim em anos; ela não tinha ideia de que eu ainda estava viva. Ela ouve que eu tenho lutado. Que tenho resistido, que tentei matar um comandante supremo.

Emmaline sente esperança pela primeira vez em anos.

Bato as mãos contra a boca. Dou um passo para trás.

Emmaline não tem olhos, mas a sinto olhando para mim. Me observando em busca de uma reação. Sinto-me instável, alerta, mas derrotada.

Finalmente entendo.

Emmaline tem usado seus últimos resquícios de força para entrar em contato comigo – e não apenas comigo, mas com todos os outros filhos dos comandantes supremos.

Ela me mostra, dentro da minha mente, como tirou vantagem do mais recente esforço de Max e Evie para expandir as capacidades dela. Emmaline nunca foi capaz de contatar pessoas individualmente antes, mas Max e Evie ficaram gananciosos. Em Emmaline, lançaram as bases para sua própria morte.

Ela acha que somos a última esperança para o mundo. Quer que nos levantemos para lutar e salvar a humanidade. Lentamente, ela tem nos devolvido nossas mentes, devolvendo o que nossos pais roubaram uma vez. Ela deseja que enxerguemos a verdade.

Socorro, ela diz.

— Eu vou ajudar — sussurro. — Prometo que vou, mas primeiro vou tirar você daqui.

Raiva, quente e violenta, me faz cambalear. A raiva de Emmaline é acentuada e aterrorizante, e um ressonante

NÃO

enche meu cérebro.

Fico imóvel. Confusa.

— Como assim? — pergunto. — Tenho que te ajudar a sair daqui. Vamos escapar juntas. Eu tenho amigas, pessoas com poder de cura que podem restaurar vo...

NÃO

E então, num lampejo...

Ela enche minha mente com uma imagem tão macabra que quase me faz vomitar.

— Não — peço, minha voz trêmula. — Não farei isso. Não vou matar você.

Raiva, raiva quente e feroz ataca minha mente. Imagem após imagem me agride, suas tentativas fracassadas de suicídio, sua incapacidade de usar seus poderes contra si mesma, as infinitas travas de segurança que Max e Evie puseram em ação para garantir que Emmaline não tirasse a própria vida e que não pudesse prejudicar a deles...

— Emmaline, por favor...

SOCORRO

— Tem de haver outro jeito – peço, em desespero. – Isso não pode acabar assim. Você não precisa morrer. Podemos passar por isso juntas.

Ela bate a palma da mão contra o vidro. Tremores balançam seu corpo emaciado.

Já

morrendo

Dou um passo à frente, pressiono as mãos na prisão dela.
— Não era para acabar assim – falo, as palavras entrecortadas. – Tem de haver outra maneira. Por favor. Quero minha irmã de volta. Quero que você viva.

Mais raiva, quente e selvagem, começa a florescer em minha mente e então...
um pico de medo.
Emmaline fica rígida em seu tanque.

Vindo

Olho em volta, me preparando. A adrenalina dispara nas minhas veias.

Espere

Emmaline envolveu os braços ao redor do corpo, seu rosto comprimido em concentração. Ainda posso senti-la com um imediatismo tão íntimo que parece quase como se seus pensamentos fossem os meus.

E então, inesperadamente...

Meus grilhões se abrem.

Giro quando eles caem no chão com um barulho ressonante. Esfrego meus pulsos doloridos, meus tornozelos.

– Como você...?

Vindo

Assinto.

– Seja lá o que acontecer hoje – sussurro –, vou voltar para você. Isso não acabou. Está me ouvindo? Emmaline, não vou deixar você morrer aqui.

Pela primeira vez Emmaline parece relaxar.

Algo quente e doce enche minha cabeça, afeição tão inesperada que faz meus olhos marejarem.

Tento conter a emoção.

Passos.

O medo fugiu do meu corpo. Sinto-me com uma estranha calma. Estou mais forte do que já fui. Há força nos meus ossos, força na minha mente. E agora que as algemas estão desligadas, meus poderes voltaram e um sentimento familiar surge em mim; é como estar junto de uma velha amiga.

Encontro os olhos de Evie quando ela entra pela porta.

Ela já está apontando uma arma para mim. Não é uma arma, mas algo que parece uma arma. Não sei o que aquilo pode fazer.

– O que você está fazendo aqui? – ela questiona, sua voz apenas um pouco histérica. – O que é que você fez?

Balanço a cabeça.

Não posso mais olhar para o rosto dela sem sentir uma raiva cega. Não consigo nem pensar em seu nome sem sentir uma necessidade violenta, potente e animalesca de matá-la com minhas próprias mãos. Evie Sommers é o pior tipo de ser humano. Uma traidora da humanidade. Uma sociopata em estado mais vil.

– *O que você fez?* – ela repete, agora traindo seu medo. Seu pânico. A arma treme em seu punho. Seus olhos estão arregalados, enlouquecidos, correm de mim para Emmaline, ainda aprisionada no tanque atrás de mim.

E então...

Percebo. Vejo o momento em que ela nota que não estou usando as algemas.

Evie empalidece.

– Eu não fiz nada – digo baixinho. – Ainda não.

Sua arma cai, com um baque, no chão.

Ao contrário de Paris, minha mãe não é idiota. Ela sabe que não adianta tentar atirar em mim. Ela me criou e tem ciência do que sou capaz. E ela sabe – posso ver em seus olhos – ela sabe que estou prestes a matá-la, e sabe que não há o que fazer para me impedir.

Ainda assim, ela tenta.

— Ella — diz, a voz instável. — Tudo o que fizemos, tudo o que já fizemos até hoje, foi tentar ajudar você. Estávamos tentando salvar o mundo. Você precisa entender.

Dou um passo à frente.

— Eu entendo.

— Eu só queria tornar o mundo um lugar melhor. Você não quer tornar o mundo um lugar melhor?

— Sim — respondo. — Eu quero.

Ela quase sorri. Uma respiração pequena e quebrada escapa de seu corpo.

Alívio.

Dou dois passos rápidos e a soco no peito, costelas quebrando sob o nó dos meus dedos. Seus olhos se arregalam e ela se engasga, me encarando em um silêncio atordoado e paralisado. Ela tosse e pingos de sangue, quentes e grossos, espirram no meu rosto. Eu me viro, cuspindo o sangue da minha boca, e, quando olho para trás, ela está morta.

Com um último puxão, arranco o coração de seu corpo.

Evie cai no chão com um baque pesado, os olhos frios e vítreos. Ainda seguro o coração da minha mãe, vendo-o morrer nas minhas mãos, quando uma voz familiar chama por mim.

Obrigada

Obrigada

Obrigada

Warner

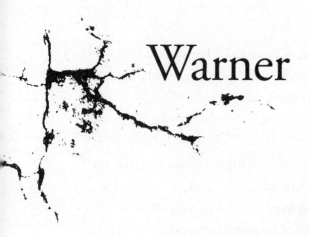

Percebo, ao deixar a cena do crime, que não tenho ideia de onde me encontro. Estou no meio do corredor do lado de fora do quarto onde acabei de assassinar meu pai, e tento descobrir meus próximos passos. Estou quase nu. Sem meias. Descalço. Longe do ideal.

Ainda assim, preciso continuar me movendo.

Se ao menos...

Não percorro nem um metro e meio antes de sentir a familiar fisgada de uma agulha. Sinto – ao mesmo tempo em que tento lutar contra ela – uma substância estranha entrando no meu corpo. É só questão de tempo até ela me abater.

Minha visão fica embaçada.

Tento vencê-la, tento permanecer em pé, mas meu corpo está fraco. Depois de duas semanas de quase inanição, envenenamento constante e extrema exaustão, fiquei sem reservas. As últimas gotas da minha adrenalina me deixaram.

Chegou a minha vez.

Caio no chão e as lembranças me consomem.

Ofego ao retornar à consciência, respirando fundo ao me sentar rápido demais, minha cabeça girando.

Há fios colados nas minhas têmporas, nos meus braços e pernas, as pontas plásticas apertando onde as articulações dos meus braços e pernas flexionam, puxando a pele do meu peito nu. Eu os arranco, causando confusão nos monitores próximos. Puxo a agulha do meu braço e a jogo no chão. Aplico pressão na ferida por alguns segundos antes de decidir deixá-la sangrar. Coloco-me de pé, giro no lugar para avaliar o que me rodeia, mas ainda me sinto sem equilíbrio.

Só posso imaginar quem deve ter atirado em mim com um dardo tranquilizante. Mesmo assim, não sinto urgência de entrar em pânico. Matar meu pai incutiu em mim uma extraordinária serenidade. É uma coisa perversa e horrível de se comemorar, mas matar meu pai foi vencer meu maior medo. Com ele morto, tudo parece possível.

Sinto-me livre.

Ainda assim, preciso me concentrar em onde estou e no que está acontecendo. Preciso formar um plano de ataque, um plano de fuga, um plano para resgatar Ella. Mas minha mente está sendo puxada no que parece ser uma centena de direções diferentes.

As memórias estão ficando mais intensas a cada minuto.

Não sei quanto mais disso posso suportar. Não sei quanto tempo essa barragem vai durar ou quanto mais será descoberto, mas as revelações emocionais estão começando a me afetar.

Alguns meses atrás, eu sabia que amava Ella. Eu sabia que sentia por ela o que nunca senti por ninguém. Parecia novo, precioso e terno.

Importante.

Mas todos os dias – a cada minuto – das últimas semanas, tenho sido bombardeado por lembranças dela que eu nem sabia que tinha. Momentos com ela de anos atrás. O som de sua risada, o cheiro de seu cabelo, seu olhar quando ela sorriu para mim pela primeira vez. A sensação de segurar a mão dela quando tudo era novo e desconhecido...

Três anos atrás.

Como é possível que eu a tenha tocado assim há três anos? Como poderíamos saber naquele momento – sem de fato saber o *porquê* – que poderíamos ficar juntos? Que ela poderia me tocar sem me machucar? Como algum desses momentos poderiam ter sido arrancados da minha mente?

Nem sequer imaginei que havia perdido tanto dela. Mas, então, eu não tinha ideia de que havia tanto a perder.

Uma dor profunda e dolorosa se enraizou dentro de mim, carregando consigo o peso dos anos. Estar longe de Juliette – *Ella* – sempre foi difícil, mas agora parece insustentável.

Estou sendo lentamente dizimado pelas emoções.

Preciso vê-la. Abraçá-la. Ligá-la a mim de alguma forma. Não vou acreditar em uma palavra do que meu pai disse até eu vê-la e falar com ela pessoalmente.

Não posso desistir. Ainda não.

Para o inferno com o que aconteceu entre nós lá na base. Esses eventos parecem ter ocorrido vidas atrás. Como se tivessem acontecido com pessoas diferentes. Quando a encontrar e a levar para um lugar seguro, buscarei uma maneira de acertar as coisas entre nós. Parece que algo morto há muito tempo dentro de mim está sendo, aos poucos, devolvido à vida – como se minhas esperanças e sonhos estivessem sendo ressuscitados, como se os buracos no meu coração estivessem sendo lenta e cuidadosamente reparados. Vou encontrá-la. E, quando o fizer, vou descobrir um jeito de seguir em frente com ela, ao meu lado, para sempre.

Respiro fundo.

E então me levanto e fico em pé.

Eu me preparo, esperando a dor na minha caixa torácica, mas ela se foi. Com cuidado, toco o lado do corpo; as contusões desapareceram. Toco meu rosto e fico surpreso ao descobrir que minha pele está lisa e barbeada. Toco meu cabelo e descubro que ele voltou ao comprimento original – exatamente como era antes de eu cortar tudo.

Estranho.

Ainda assim, me sinto eu mesmo como há muito tempo não sentia, e sou muito grato. A única coisa que me incomoda é que não visto nada além de uma camisola, sob a qual estou nu.

Estou cansado de ficar nu.

Quero minhas roupas. Quero uma calça decente. Eu quero...

E então, como se alguém tivesse lido minha mente, noto um novo conjunto de roupas em uma mesa próxima. Roupas que parecem exatamente do meu tamanho.

Pego o suéter. Examino-o.

Essas na verdade são minhas. Conheço essas peças. Reconheço-as. E, se isso não bastasse, minhas iniciais – AWA – estão bordadas no punho do suéter, meu monograma. Isso não foi um acidente. Alguém trouxe minhas roupas aqui. Do meu próprio armário.

Eles estavam me esperando.

Eu me visto rapidamente, grato pela roupa limpa, independentemente das circunstâncias, e estou quase terminando de amarrar as botas quando alguém entra.

– Max – falo, sem levantar a cabeça. Com cautela, piso na agulha que acabei de jogar no chão. – Como você está?

Ele ri alto.

– Como você sabia que era eu?

– Reconheci o ritmo de seus passos.

Ele fica quieto.

– Não se preocupe em tentar negar – peço, escondendo a seringa na mão enquanto me sento. Encontro seus olhos e sorrio. – Tenho ouvido seu passo pesado e irregular pelas duas últimas semanas.

Os olhos de Max se arregalam.

– Estou impressionado.

– E agradeço o barbear – digo, tocando meu rosto.

Ele ri de novo, mais suavemente desta vez.

– Você estava bem perto da morte quando eu o trouxe para cá. Imagine minha surpresa ao encontrá-lo quase nu, tão desidratado, meio subnutrido, com deficiência de vitaminas. Você tinha três costelas quebradas. O sangue do seu pai cobrindo suas mãos.

– Três costelas quebradas? Pensei que eram duas.

– Três costelas quebradas – afirma Max, e balança a cabeça. – Ainda assim, você conseguiu cortar a artéria carótida de Paris. Parabéns.

Encontro seus olhos. Max acha isso engraçado.

E então entendo.

– Ele ainda está vivo, não é? – pergunto.

O sorriso de Max fica mais amplo.

— Muito vivo, sim. Apesar de seus melhores esforços para matá-lo.
— Isso parece impossível.
— Você parece irritado – diz Max.
— Estou irritado. Que ele tenha sobrevivido é um insulto ao meu conjunto de habilidades.

Max luta contra outra risada.

— Eu não me lembro de você ser tão engraçado.
— Não estou tentando ser engraçado.

Mas Max não consegue tirar o sorriso do rosto.

— Então você não vai me dizer como ele sobreviveu? – pergunto. – Você só vai me provocar?
— Estou esperando minha esposa – ele responde.
— Compreendo. Ela ajuda você a pronunciar as palavras bonitas?

As sobrancelhas de Max saltam para cima da testa.

— Cuidado, Aaron.
— Minhas desculpas. Por favor, saia do meu caminho.
— Como eu disse, estou esperando pela minha esposa. Ela tem algo a dizer para você.

Tento entendê-lo, olho atentamente para o seu rosto de uma forma que não me lembro de já ter feito. Ele tem cabelos castanho-escuros, pele morena clara e brilhantes olhos azuis esverdeados. Ele envelheceu bem. Em um dia diferente, eu poderia até descrever seu rosto como caloroso e amigável. Mas sabendo agora que é o pai de Ella... Quase não acredito que não tenha percebido antes. Ela tem os olhos dele.

Eu ouço um segundo conjunto de passos se aproximando da porta. Espero ver Evie, a Sommers Suprema e, em vez disso...

— Max, quanto tempo você acha que vai demorar antes de...

Meu pai. A voz dele.

Mal posso acreditar.

Ele para, logo após entrar pela porta, quando vê meu rosto. Segura uma toalha ensanguentada na garganta.

– Seu *idiota* – ele diz para mim.

Não tenho chance de responder.

Um alarme agudo soa e Max fica subitamente rígido. Ele olha para um monitor na parede antes de encarar meu pai.

– Vá – diz Anderson. – Eu consigo lidar com ele.

Max olha para mim apenas uma vez antes de desaparecer.

– Então – começo, acenando para o rosto do meu pai, sua ferida em processo de cicatrização. – Você vai explicar?

Ele mal olha para mim.

Observo, em silêncio, enquanto ele usa a mão livre para tirar um lenço do bolso. Ele limpa o sangue restante dos lábios, dobra o lenço de novo e o coloca de volta no bolso.

Algo entre nós mudou.

Eu posso sentir. Sinto sua mudança de atitude em relação a mim. Demora um minuto para juntar as várias pistas emocionais longas demais para entender, mas, quando por fim me atinge, me atinge com força.

Respeito.

Pela primeira vez na vida, meu pai está olhando para mim com algo como respeito. Tentei matá-lo e, em vez de ficar com raiva, ele parece satisfeito. Talvez até impressionado.

– Você fez um bom trabalho lá atrás – ele fala, em voz baixa. – Foi um lançamento forte. Sólido.

É estranho aceitar o elogio dele, então não aceito.

Meu pai suspira.

– Parte da razão pela qual eu queria a custódia daquelas gêmeas com poder de cura – revela – era querer que Evie as estudasse. Eu queria que ela replicasse o DNA delas e o entrelaçasse no meu. Os poderes de cura, percebi, foram extremamente úteis.

Um frio agudo sobe na minha espinha.

– Mas eu não as tive sob meu controle pelo tempo que quis – explica. – Só consegui extrair algumas amostras de sangue. Evie fez o melhor que pôde com o tempo que tivemos.

Pisco, espantado. Tento controlar a expressão no meu rosto.

– Então agora você tem poderes de cura?

– Ainda estamos trabalhando nisso – meu pai responde, com a mandíbula apertada. – Ainda não está perfeito, mas foi o bastante para que eu fosse capaz de sobreviver aos ferimentos na cabeça apenas por tempo suficiente para ser enviado para um lugar seguro. – Ele sorri um sorriso amargo. – Meus pés, por outro lado, não conseguiram.

– Que infelicidade – minto.

Testo o peso da seringa na minha mão. Eu me pergunto quanto estrago ela poderia causar. Não é tão substancial a ponto de fazer mais do que atordoar, mas um ataque no ângulo certo pode resultar em dor temporária nos nervos, o que me daria um bom tempo. Mas, então, uma lancetada no olho poderia ter o mesmo efeito.

– Operação Síntese – meu pai fala de repente.

Eu olho para cima. Surpreso.

– Você está pronto, Aaron. – Seu olhar é firme. – Você está pronto para um desafio real. Você tem o fogo necessário. A motivação. Percebo isso nos seus olhos pela primeira vez.

Estou com muito medo de falar.

Finalmente, depois de todos esses anos, meu pai está me fazendo elogios. Dizendo-me que sou capaz. Quando criança, era tudo o que eu sempre ansiei.

Mas não sou mais uma criança.

– Você viu Emmaline – diz meu pai. – Mas não a viu recentemente. Não sabe em que estado ela se encontra.

Eu espero.

– Ela está morrendo – ele revela. – O corpo dela não é forte o suficiente para sobreviver à mente ou ao ambiente que a cerca e, apesar dos esforços de Max e Evie, eles não sabem se há mais alguma coisa que podem fazer para ajudá-la. Embora trabalhem há anos para prolongar a vida dela o máximo possível, chegaram ao fim da linha. Não há mais nada a se fazer. Ela está se deteriorando em um ritmo que não podem mais controlar.

Ainda assim, permaneço em silêncio.

– Você entende? – meu pai me pergunta. – Você entende a importância do que estou dizendo? Emmaline não é apenas uma psicocinética, mas uma telepata – explica. – Enquanto seu corpo se deteriora, sua mente fica mais fora de controle. Ela é muito forte. Muito explosiva. E ultimamente, sem um corpo forte o bastante para contê-la, ela se tornou volátil. Se ela não receber um...

– Não se atreva – uma voz berra no quarto. – Não se atreva a dizer outra palavra. Seu *tolo* cabeça-dura.

Giro no lugar, a surpresa toma minha garganta.

Comandante Supremo Ibrahim. Ele parece mais alto do que me lembro. Pele escura, cabelos escuros. *Raivoso*.

– Tudo bem – meu pai diz, sem se incomodar. – Evie cuidou de...

– Evie está *morta* – diz Ibrahim, com raiva. – Precisamos iniciar a transferência imediatamente.

– O quê? – Meu pai fica pálido. Eu nunca o vi pálido. Nunca o vi aterrorizado. – Como assim ela está morta?

Os olhos de Ibrahim faíscam.

– Quero dizer que temos um problema sério. – Ele olha para mim. – Esse menino precisa ser colocado de volta em isolamento. Não podemos confiar em nenhum deles agora. Não sabemos o que ela pode ter feito.

E, quando estou tentando decidir meu próximo movimento, ouço um sussurro no meu ouvido.

– Não grite – diz ela.

Nazeera.

~~Juliette~~ Ella

Estou correndo para salvar minha vida, descendo corredores e subindo escadas. Um alarme baixo e insistente disparou, seu som alto e penetrante fazendo disparar choques de medo através de mim, ao mesmo tempo em que meus pés atingem o chão em movimento rítmico. Sinto-me forte, firme, mas cada vez mais ciente da minha incapacidade de navegar por esses caminhos sinuosos. Eu podia ver – podia sentir – que Emmaline ficava mais fraca à medida que eu saía, e agora, quanto mais me afasto dela, mais fraca fica nossa conexão. Ela me mostrou, em suas memórias, como Max e Evie lentamente lhe tiraram o controle; Emmaline é mais poderosa do que todos, mas agora só pode usar seus poderes quando recebe ordens. Foi necessário utilizar toda sua força a fim de ultrapassar os sistemas de segurança e ser capaz de usar seu poder por vontade própria. Agora que sua voz se afastou da minha mente, sei que ela não voltará. Não tão cedo. Tenho que descobrir o meu próprio caminho a partir daqui.

Eu vou.

Meu poder está de volta. Sou capaz de superar qualquer coisa a partir daqui. Tenho de superar. E, quando ouço alguém gritar, giro no lugar, pronta para lutar...

Mas o rosto à distância é tão familiar que paro, atordoada, de repente.

Kenji esbarra em mim.

Kenji.

Kenji está me abraçando. Kenji está me abraçando e ele não está ferido. Está perfeito.

E, quando começo a retribuir o abraço, ele solta um palavrão e recua com força.

– Caramba, mulher... Você está tentando me matar? Você não pode desligar essa merda por um segundo? Tem que arruinar nosso reencontro dramático quase me matando mesmo depois de eu ter me dado ao trabalho de en...

Eu me lanço em seus braços novamente e ele endurece, relaxando apenas quando percebe que fiz meu poder recuar. Esqueci, por um segundo, quanto da minha pele estava exposta nesse vestido.

– Kenji – digo num sussurro que é quase uma respiração. – Você está vivo. Você está bem. Nossa.

– Ei – diz ele. – *Ei.* – Ele recua, me encarando. – Estou bem. Você está bem?

Realmente não sei como responder à pergunta. Por fim, digo:
– Não tenho certeza.

Ele estuda meu rosto por um segundo. Parece preocupado.

E então, com o nó de medo na minha garganta ficando cada vez mais dolorido, faço a pergunta que mais estava me matando:

– Onde está Warner?

Kenji balança a cabeça.

Sinto minhas defesas começarem a ruir.

– Ainda não sei – Kenji responde baixinho. – Mas vamos encontrá-lo, tá? Não se preocupe.

Faço que sim. Meu lábio inferior treme e eu o mordo, mas o tremor não desaparece. Ele cresce, se multiplica, evolui para um tremor que me sacode da planta dos pés até o peito.

– Ei – diz Kenji.

Eu olho para cima.

– Quer me dizer de onde veio todo esse sangue?

Eu pisco sem entender.

– Que sangue?

Ele levanta as sobrancelhas para mim.

– O *sangue* – Kenji repete, fazendo um gesto apontando para o meu corpo. – Na sua cara. No seu vestido. Cobrindo as suas mãos.

– Ah – exclamo, assustada. Olho para minhas mãos como se as visse pela primeira vez. – O sangue.

Kenji suspira, aperta os olhos vendo algo por cima do meu ombro. Ele tira um par de luvas do bolso de trás e as calça.

– Tudo bem, princesa, ligue seu poder novamente. Temos que seguir em frente.

Nós saímos do abraço. Kenji projeta sua invisibilidade sobre nós dois.

– Siga-me – instrui, pegando minha mão.

– Para onde vamos? – questiono.

– O que você quer dizer, *para onde vamos*? Estamos dando o fora daqui.

– Mas... E quanto a Warner?

— Nazeera está procurando por ele neste exato momento.

Estanco tão de repente que quase tropeço.

— Nazeera está aqui?

— Hum, sim... Então... É uma história muito longa, tá? Mas a resposta curta é *sim*.

— Então foi assim que você entrou aqui – reflito, começando a entender. – Nazeera.

Kenji faz um som de descrença.

— Uau, logo de cara você não me dá crédito nenhum, né? Qual é, J, você sabe que eu amo uma boa missão de resgate. Eu sei de algumas coisas e também consigo descobrir as coisas.

Pela primeira vez em semanas sinto um sorriso nos meus lábios. Um riso constrói e irrompe dentro do meu corpo. Senti muita falta disso. Senti muita falta dos meus amigos. A emoção jorra na minha garganta, me surpreendendo.

— Senti sua falta, Kenji – digo. – Estou muito feliz por você estar aqui.

— *Ei* – Kenji responde, incisivo. – Não se atreva a começar a chorar. Se você começar a chorar, vou começar a chorar e não temos tempo para chorar agora. Temos muitas merdas para fazer, beleza? Podemos chorar mais tarde, em um momento mais conveniente. Tudo bem?

Quando permaneço em silêncio, ele aperta minha mão.

— Tudo bem? – ele repete.

— Tudo – respondo.

Eu o ouço suspirar.

— Droga. Eles realmente zoaram você aqui, hein?

— Sim.

— Eu sinto muito – diz ele.

— Podemos chorar mais tarde? Vou te contar tudo.

— Claro que podemos chorar mais tarde. – Kenji puxa gentilmente minha mão para nos fazer seguir em frente. – Tenho tanta coisa para chorar, J. Tanta. A gente deveria fazer uma lista.

— Boa ideia – falo, mas meu coração está na boca outra vez.

— Ei, não se preocupe – Kenji me consola, lendo meus pensamentos. – É sério. Nós vamos encontrar Warner. Nazeera sabe o que está fazendo.

— Mas acho que não posso esperar enquanto Nazeera procura por ele. Não posso ficar olhando; preciso fazer alguma coisa. Eu mesma preciso procurar por ele...

— Na-não. De jeito nenhum. Nazeera e eu nos separamos de propósito. A *minha* missão é te colocar no avião. A missão *dela* é colocar Warner no avião. É assim que a matemática funciona.

— Espere... vocês têm um avião?

— De que forma você acha que chegamos aqui?

— Não faço ideia.

— Bem, esta é outra longa história, e vou te falar disso mais tarde, mas os pontos principais são que a Nazeera é muito confusa, mas é útil, e, de acordo com os cálculos dela, precisamos dar o fora daqui para ontem. Nosso tempo está acabando.

— Mas, espere, Kenji; o que aconteceu com todo mundo? Na última vez que te vi, você estava sangrando. Brendan foi baleado. Castle estava caído. Pensei que todos estavam mortos.

Kenji não me responde de primeira.

— Você realmente não tem ideia do que aconteceu, hein? – ele diz por fim.

— Só sei que não matei de fato todas aquelas pessoas no simpósio.

— Ah é? — Ele parece surpreso. — Quem te contou?

— Emmaline.

— Sua *irmã*?

— É — respondo, suspirando pesado. — Tenho muito para te contar, mas primeiro: por favor, me diga que todos ainda estão vivos.

Kenji hesita.

— Quero dizer, acho que sim... Sinceramente, não sei. Nazeera diz que estão vivos. Ela está prometendo que vai conseguir colocar todos em segurança, então ainda estou segurando o fôlego. Mas olha só isso. — Ele para de andar, coloca a mão invisível no meu ombro. — Você nunca vai acreditar.

— Deixe-me adivinhar — falo. — Anderson está vivo.

Eu ouço a respiração ofegante de Kenji.

— Como você sabia?

— A Evie me disse.

— Então você sabe sobre como ele voltou ao Setor 45?

— O quê? — questiono. — Não.

— Bem, o que eu estava prestes a te dizer agora foi que o Anderson voltou à base. Ele voltou a ocupar o cargo de comandante supremo da América do Norte. Ele estava lá antes de sairmos. Nazeera me contou que ele inventou toda essa história sobre estar doente e como nosso grupo espalhou rumores falsos enquanto ele estava se recuperando... e que você tinha sido executada pela sua mentira encenada.

— O quê? — Fico pasma. — Isso é loucura.

— É o que estou dizendo.

– Então, o que faremos quando voltarmos ao Setor 45? Para onde vamos? Onde vamos ficar?

– Não sei de merda nenhuma – Kenji afirma. – Neste momento, só espero que a gente consiga sair daqui vivo.

Enfim chegamos à saída. Kenji tem um cartão de segurança que lhe dá acesso à porta, que abre facilmente.

De lá, é quase fácil demais. Nossa invisibilidade impede que nos detectem. E, quando estamos no avião, Kenji verifica o relógio.

– Temos apenas trinta minutos, só para você saber. Essa era a regra. Trinta minutos e, se a Nazeera não aparecer com Warner, temos que ir.

Meu coração afunda no estômago.

Warner

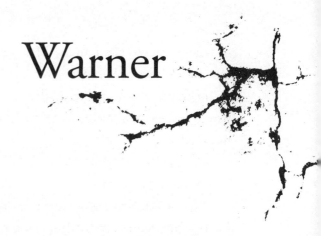

Não tenho tempo para registrar meu choque, ou perguntar a Nazeera quando é que ela ia me dizer que tinha o poder de se tornar invisível, então faço a única coisa que posso no momento.

Confirmo balançando a cabeça, o movimento quase imperceptível.

— Kenji está colocando Ella em um avião. Vou esperar por você do lado de fora dessa porta — ela me informa. — Acha que consegue fazer isso? Se você ficar invisível na frente de todo mundo, eles vão nos descobrir, e seria melhor se achassem que você só está tentando fugir.

Mais uma vez, confirmo.

— Tudo bem então. Te vejo lá fora.

Espero um segundo ou dois, e então rumo em direção à porta.

— Ei! — Ibrahim grita.

Hesito, voltando-me levemente, girando nos calcanhares.

— Sim?

— Onde você pensa que vai? — Ele chama minha atenção, tirando uma arma do interior da jaqueta e apontando para mim.

— Tenho que usar o banheiro.

Ibrahim não ri.

– Você vai esperar aqui até Max voltar. E então decidiremos o que vamos fazer com você.

Inclino a cabeça na direção dele. A arma apontando para mim parece suspeitamente com uma das armas que roubei do meu pai mais cedo.

Não que isso importe.

Respiro rapidamente.

– Receio que não é assim que isso vai funcionar – falo, tentando sorrir. – Mas tenho certeza de que todos nos veremos em breve, então não recomendo que se preocupe em sentir muito a minha falta.

E então, antes que alguém tenha a chance de protestar, corro para a porta, mas não antes de Ibrahim disparar sua arma.

Três vezes.

À queima-roupa.

Luto contra a vontade de gritar quando uma das balas perfura minha panturrilha e a dor quase me tira o fôlego.

Quando estou do outro lado da porta, Nazeera me transfere sua invisibilidade. Eu consigo ir muito longe antes de respirar fundo, desabando contra a parede.

– *Merda* – diz ela. – Você levou um tiro?

– Obviamente – respondo com os dentes cerrados, tentando manter minha respiração uniforme.

– Droga, Warner, o que diabos tem de errado com você? Nós temos que voltar para o avião nos próximos quinze minutos, ou eles vão embora sem nós.

– O quê? Por que...

— Porque eu disse para eles fazerem isso. Temos que tirar Ella daqui, não importa o que aconteça. Não posso deixá-los esperando por nós e arriscar ser morta nesse processo.

— Sua empatia é reconfortante, de verdade. Obrigado.

Ela suspira.

— Onde você levou o tiro?

— Na perna.

— Você consegue andar?

— Devo conseguir em apenas um minuto.

Eu a ouço hesitar.

— O que isso significa?

— Se eu conseguir viver o suficiente, talvez te fale.

Ela não acha graça.

— Você realmente vai conseguir começar a correr daqui a um minuto?

— Ah, agora é correr? Um momento atrás você estava perguntando se eu conseguia andar.

— Correr seria melhor.

Solto uma risada amarga. É difícil a essa distância, mas estou gostando da nova habilidade do meu pai, aproveitando-a da melhor maneira possível aqui onde estou. Sinto a ferida cicatrizando, regenerando lentamente os nervos e as veias e até um pouco de osso, mas está demorando mais do que eu gostaria.

— Quanto tempo é o voo de volta? — pergunto. — Eu não me lembro.

— Pegamos o jato, então deve levar apenas oito horas.

Faço um sinal afirmativo, mesmo que ela não possa me ver.

— Acho que não consigo sobreviver oito horas com uma ferida aberta.

— Bem, ainda bem que não estou nem aí. Vou te dar mais dois minutos antes de eu carregar você daqui com minhas próprias mãos.

Minha resposta é um grunhido. Concentro todas as minhas energias em empregar as habilidades de cura no meu corpo. Nunca tentei fazer algo assim enquanto estava ferido, e não percebi o quanto exigia de mim, tanto emocional quanto fisicamente. Sinto-me exausto. Minha cabeça está latejando, meu queixo doendo da pressão intensa que usei cerrando os dentes para suportar a dor, e minha perna parece estar em *chamas*. Não há nada de agradável no processo de cura. Tenho que imaginar que meu pai está em ação – provavelmente procurando por mim com Ibrahim – porque dominar o poder dele é mais difícil do que qualquer um dos outros que já tentei fazer uso.

— Vamos sair em trinta segundos – Nazeera avisa, um alerta em sua voz.

Eu cerro os dentes.

— Quinze.

— *Merda*.

— Você acabou de xingar? – pergunta Nazeera, espantada.

— Estou sentindo uma quantidade extraordinária de dor.

— Certo, é isso, nosso tempo acabou.

E, antes que eu consiga falar alguma coisa, ela me pega no colo, me tira do chão.

E nós estamos no ar.

~~Juliette~~ Ella

Kenji e eu estamos nos encarando em um silêncio nervoso durante o último minuto. Passei os primeiros dez minutos contando a ele um pouco sobre Emmaline, o que na verdade era uma distração estressante, e então Kenji me ajudou a lavar o sangue das minhas mãos e do meu rosto com os poucos suprimentos que temos a bordo. Agora estamos mirando o silêncio, nosso terror combinado enchendo o avião.

É um bom avião, acho. Não tenho certeza. Não tive vontade de inspecionar em volta. Ou de perguntar a ele quem, exatamente, entre nós sabe pilotar um avião. Mas nada disso importará, é claro, se Nazeera e Warner não voltarem logo.

Não importa, porque não vou sair sem ele.

E meus pensamentos devem ser fáceis de ler, porque, de repente, Kenji franze a testa.

– Escuta – ele começa –, estou tão preocupado com eles quanto você. Não quero deixar Nazeera para trás e com certeza não quero imaginar nada de ruim acontecendo com ela enquanto ela está lá em algum lugar, mas temos que tirar você daqui.

– Kenji...

– Não temos escolha, J – ele me interrompe. – Temos que te tirar daqui, você gostando ou não. O Restabelecimento está tramando alguma merda obscura, e você está bem no centro dessa história. Temos que manter você em segurança. Neste momento, te manter segura é toda a minha missão.

Deixo cair o rosto nas mãos, mas logo levanto o olhar novamente.

– Isso é tudo culpa minha, sabe? Eu poderia ter evitado isso.

– Do que você está falando?

Olho para ele bem nos olhos.

– Eu deveria ter pesquisado mais sobre o Restabelecimento. Deveria ter lido a história dele e a minha dentro dele. Deveria ter aprendido mais sobre os comandantes supremos. Eu deveria estar mais bem preparada. Droga, eu deveria ter exigido que procurássemos na água o cadáver de Anderson em vez de apenas *presumir* que ele tinha afundado com o navio. – Balanço a cabeça com força. – Eu não estava pronta para ser a comandante suprema, Kenji. Você sabia disso; Castle sabia disso. Coloquei a vida de todos em perigo.

– Ei – ele me interrompe –, eu nunca disse que você não estava...

– Apenas o Warner tentou me convencer de que eu era boa o suficiente, mas acho que nunca acreditei.

– J, me escute. Eu nunca disse que você não era...

– E agora ele se foi. Warner se foi. Todos do Ponto Ômega podem estar mortos. Tudo o que construímos... Tudo em que trabalhamos... – Eu me sinto quebrar, me abrir de dentro para fora. – Não posso perdê-lo, Kenji. – Minha voz sai trêmula. Minhas mãos estão tremendo. – Eu não posso... você não sabe... você não...

Kenji olha para mim com uma dor genuína nos olhos.

— Pare com isso, J. Você está partindo meu coração. Não posso ouvir isso.

E percebo, engolindo o nó na garganta, o quanto eu precisava ter essa conversa. Esses sentimentos vinham crescendo dentro de mim por semanas, e eu precisava desesperadamente de alguém para conversar.

Eu precisava do meu amigo.

— Pensei que tinha passado por algumas coisas difíceis – continuo, meus olhos agora se enchendo de lágrimas. – Pensei que tinha vivido minha cota de experiências terríveis. Mas isso... Sinceramente, acho que estes foram os piores dias da minha vida.

Os olhos de Kenji são profundos. Sérios.

— Você quer me contar sobre isso?

Balanço a cabeça, enxugando furiosamente as bochechas.

— Acho que não vou conseguir falar sobre nada até saber que Warner está bem.

— Sinto muito, J. Eu realmente sinto.

Fungo com força.

— Você sabe que meu nome é Ella, não sabe?

— Sei – ele responde, unindo as sobrancelhas. – Sim. Ella. É uma loucura.

— Eu gosto – respondo. – Gosto mais do que Juliette.

— Não sei. Acho que os dois nomes são legais.

— Sim – falo, me afastando. – Mas *Juliette* foi o nome que Anderson escolheu para mim.

— E *Ella* é o nome com o qual você nasceu – Kenji completa, lançando-me um olhar. – Eu entendo.

— Sim.

— Ouça – diz ele com um suspiro. – Sei que foram algumas semanas difíceis para você. Eu ouvi sobre a parte da memória. Ouvi sobre muitas coisas. E não posso fingir que sei o que você deve estar passando agora, mas você não pode se culpar por nada disso. Não é sua culpa. Nada disso é culpa sua. Você foi um peão no centro dessa conspiração a vida inteira. O último mês não ia mudar nada disso, tá? Você tem que ser mais gentil consigo mesma. Você já passou por muita coisa.

Ofereço um sorriso fraco para Kenji.

— Vou tentar – digo baixinho.

— Sentindo-se melhor agora?

— Não. E pensar em sair daqui sem o Warner, sem saber se ele vai entrar neste avião, está me matando, Kenji. É um buraco atravessando o meu corpo.

Kenji suspira, desvia o olhar.

— Eu entendo – ele me consola. – De verdade. Você está preocupada em não ter a chance de acertar as coisas com ele.

Confirmo.

— Merda.

— Não farei isso. Não posso fazer isso, Kenji.

— Eu entendo o seu lado, menina, juro que entendo, mas não podemos nos dar ao luxo de fazer isso. Se eles não voltarem daqui a cinco minutos, temos que partir.

— Então você vai ter que ir sem mim.

— De jeito nenhum, isso não é uma opção – diz ele, ficando em pé. – Não quero fazer isso mais do que você, mas conheço a Nazeera o suficiente para saber que ela sabe se virar, e, se ela ainda não voltou, é provavelmente porque está esperando por um momento mais seguro. Ela vai conseguir. E você tem que confiar que ela vai trazer o Warner com ela. Ok?

– Não.

– Fala sério...

– Kenji, pare. – Também me levanto, raiva e tristeza colidindo entre si.

– Não faça isso – ele pede, balançando a cabeça. – Não me force a fazer algo que não quero. Porque, se for preciso, vou te derrubar, J, juro...

– Você não faria isso – respondo baixinho. A relutância abandona meu corpo. De repente me sinto exausta, exausta pela dor no coração. – Eu sei que você não faria. Você não me obrigaria a deixá-lo para trás.

– Ella?

Eu me viro, uma descarga de sentimento me deixando sem fôlego. Apenas o som de sua voz faz meu coração acelerar de uma maneira que parece perigosa. A mudança brusca do medo para a alegria faz minha cabeça latejar, delirante de sentimentos. Fiquei tão preocupada, todo esse tempo, e saber agora...

Ele está ileso.

Seu rosto, sem marcas. Seu corpo, intacto. Ele é perfeito e lindo e está *aqui*. Eu não sei como, mas ele está aqui.

Levo as minhas mãos à boca.

Estou balançando a cabeça e procurando desesperadamente pelas palavras certas, mas acho que não consigo falar. Só posso olhar para ele vendo-o avançar, seus olhos iluminados e ardentes.

Ele me puxa em seus braços.

Os soluços irrompem do meu corpo, o culminar de mil medos e preocupações que não me permiti processar. Pressiono o rosto em seu pescoço e tento, mas não consigo me recompor.

– Eu sinto muito – digo, ofegando as palavras, lágrimas escorrendo rápido pelo meu rosto. – Aaron, me desculpe.

Eu o sinto endurecer.

Ele se afasta e me olha com olhos estranhos e assustados.

– Por que você está se desculpando? – Ele olha em volta desesperado e avista Kenji, que apenas balança a cabeça. – O que aconteceu, meu amor? – Ele afasta o cabelo dos meus olhos, pega meu rosto nas mãos. – Você sente pelo quê?

Nazeera passa entre nós.

Ela acena para mim com a cabeça, apenas uma vez, antes de ir para o cockpit. Momentos depois ouço o rugido do motor, os sons elétricos dos equipamentos entrando em operação.

Ouço sua voz nos alto-falantes acima, seus comandos nítidos e certeiros enchendo o avião. Ela nos diz para nos sentarmos e afivelarmos os cintos de segurança e encaro Warner apenas mais uma vez, prometendo a mim mesma que teremos uma chance de conversar. Prometo a mim mesma que vou acertar as coisas.

Quando decolamos, ele está segurando minha mão.

Estamos subindo há vários minutos, e Kenji e Nazeera foram generosos o suficiente para nos dar alguma ilusão de privacidade. Ambos individualmente me lançaram olhares de encorajamento semelhantes, pouco antes de entrarem no cockpit. Enfim, parece seguro continuar falando.

Mas a emoção é como um soco no meu peito, dura e pesada.

Há muito a dizer. Muito a discutir. Quase nem sei por onde começar. Não sei o que aconteceu com ele, o que descobriu ou de que se lembra. Não sei mais se ele está sentindo o mesmo que eu. E todas as incógnitas começam a me assustar.

– O que há de errado? – ele me questiona.

Warner se virou em seu assento para me encarar. Ele estende a mão, toca meu rosto e a sensação de sua pele contra a minha é avassaladora, tão poderosa que me deixa sem fôlego. Sentimentos disparam pela minha espinha, faíscam nos meus nervos.

– Você está com medo, meu amor. Por que você está com medo?

– Você se lembra de mim? – sussurro. Tenho que me forçar a permanecer firme, a lutar contra as lágrimas que se recusam a morrer. – Você se lembra de mim do jeito que eu me lembro de você?

Algo muda em sua expressão. Seus olhos mudam, se unem de dor. Ele confirma.

– Porque eu me lembro de você – falo, minha voz falhando na última palavra. – Eu me lembro de você, Aaron. Lembro-me de tudo. E você tem que saber… você tem que saber como eu sinto muito. Pela forma como deixei as coisas entre nós. – Estou chorando de novo. – Sinto muito por tudo que eu disse. Por tudo o que eu te fiz passar…

– Minha querida – ele fala suavemente, a questão em seus olhos se assenta em uma medida de compreensão. – Nada disso importa mais. Aquela briga parece que aconteceu em outra vida. Com pessoas diferentes.

Enxugo as lágrimas.

– Eu sei – respondo. – Mas estar aqui... Tudo isso... achei que talvez eu nunca mais o visse. E estava me *matando* aos poucos lembrar como deixei as coisas entre nós.

Quando levanto o olhar novamente, Warner está me fitando, seus olhos brilhantes, reluzentes. Observo o movimento em sua garganta enquanto ele engole com força.

– Me perdoe – sussurro. – Sei que tudo parece idiota agora, mas não quero mais tomar nada como garantido e certo. Perdoe-me por fazer você sofrer. Perdoe-me por não confiar em você. Desferi minha dor em você e sinto muito por isso. Fui egoísta e te fiz sofrer, e peço desculpas.

Ele fica em silêncio por tanto tempo que quase não aguento.

Quando ele enfim fala, sua voz é rouca de emoção:

– Meu amor, não há nada a perdoar.

Warner

Ella está dormindo em meus braços.
Ella.
Não posso mais pensar nela como *Juliette*.

Estamos no ar há uma hora, e Ella chorou até as lágrimas secarem, chorou por tanto tempo que pensei que aquilo poderia me matar. Eu não sabia o que dizer. Estava tão atordoado que não sabia como acalmá-la. E somente quando o esgotamento superou as lágrimas ela por fim se acalmou e desmaiou completamente nos meus braços. Estou abraçando-a junto do meu peito há pelo menos meia hora, maravilhado com a sensação de apenas ficar assim tão perto dela. De vez em quando, parece que é um sonho. Seu rosto está pressionado contra o meu pescoço. Ela está se agarrando a mim como se nunca pudesse me soltar, e isso mexe comigo, mexe de uma forma inebriante, saber que ela poderia me querer – ou precisar de mim – desta forma. Me dá vontade de querer protegê-la, mesmo que ela não precise de proteção. Me dá vontade de levá-la embora. Perder a noção do tempo.

Suavemente, acaricio seus cabelos. Pressiono os lábios na sua testa.

Ela se mexe, mas apenas um pouquinho.

Eu não estava esperando por isso.

De todas as coisas que pensei que poderiam acontecer quando eu finalmente a visse, nunca poderia ter sonhado com um cenário como esse.

Ninguém nunca pediu desculpas a mim antes. Não desse jeito.

Homens já caíram de joelhos diante de mim, implorando que eu poupasse suas vidas, mas não consigo me lembrar de uma única vez na vida na qual alguém se desculpou por ter ferido meus sentimentos. Ninguém se importou com meus sentimentos o bastante para pedir desculpas por feri-los. Na minha experiência, geralmente sou o monstro. Esperam que eu tome providências para reparar o malfeito.

E agora...

Estou atordoado. Atordoado pela experiência, pela estranheza. Todo esse tempo, eu estava me preparando para reconquistá-la. Para tentar convencê-la, de alguma forma, a ver meus demônios. E até esse exato momento, nunca me convenci de fato que alguém me veria como humano o bastante para perdoar meus pecados. Para me dar uma segunda chance.

Mas agora ela sabe de tudo.

Cada canto escuro da minha vida. Todas as coisas horríveis que já tentei esconder. Ela sabe e ainda me ama.

Deus. Passo a mão cansada no rosto. Ela *me* pediu para perdoá-la. Eu quase não sei o que fazer comigo mesmo. Sinto alegria e terror. Meu coração está pesado com algo que nem sei descrever.

Gratidão, talvez.

A dor no meu peito ficou mais forte, mais dolorosa. Estar perto dela é, de alguma forma, tanto um alívio quanto um novo tipo de agonia. Há muito à nossa frente, muito que nós ainda precisamos encarar juntos, mas agora não quero pensar em nada disso. Agora só quero aproveitar a proximidade dela. Observar os movimentos suaves de sua respiração. Quero inalar o perfume suave de seu cabelo e me inclinar para o calor firme do seu corpo.

Cuidadosamente, toco meus dedos na sua bochecha.

Seu rosto é liso, livre de dor e da tensão. Ela parece tranquila. Ela é *linda*.

Meu amor.

Meu lindo amor.

Suas pálpebras tremulam e se abrem e me preocupo, por um momento, que possa ter falado em voz alta. Mas então ela me fita, seus olhos ainda suaves com o sono, e trago a mão para seu rosto, desta vez arrastando os dedos levemente ao longo de sua mandíbula. Ela fecha os olhos de novo. Sorri.

– Eu te amo – ela sussurra.

Um choque de sensação aumenta dentro de mim, torna difícil a respiração. Só consigo admirá-la, observando seu rosto, as linhas e ângulos que sempre conheci.

Lentamente, ela se senta.

Inclina-se para trás, esticando os músculos doloridos e rígidos. Quando me pega admirando-a, me oferece um sorriso tímido.

Ela se inclina, pega meu rosto nas mãos.

– Oi – diz ela, suas palavras suaves, suas mãos delicadas quando inclina meu queixo para baixo, em direção à sua boca. Ela me beija uma vez, seus lábios cheios e doces. É um beijo carinhoso, mas a sensação me atinge com uma necessidade aguda e desesperada. – Senti tanto a sua falta – ela revela. – Ainda não consigo acreditar que você está aqui. – Ela me beija de novo, dessa vez mais profundo, de um jeito mais faminto, e meu coração bate tão rápido que ruge nos meus ouvidos. Não consigo ouvir mais nada. Não consigo falar.

Eu me sinto atônito.

Quando nos separamos, os olhos dela estão preocupados.

– Aaron – diz ela. – Está tudo bem?

E percebo então, em um momento que me apavora, que quero isso para sempre. Quero passar o resto da minha vida com ela. Quero construir um futuro com ela. Quero envelhecer com ela.

Eu quero me casar com ela.

~~Juliette~~ Ella

— Aaron? — falo de novo, desta vez suavemente. — Você está bem?

Ele pisca, assustado.

— Estou — responde, inspirando com força. — Estou. Sim, estou perfeito.

Consigo dar um pequeno sorriso.

— Sim, perfeito. Enfim você concorda comigo.

Ele franze a testa, confuso e, então, quando se dá conta...

Enrubesce.

E, pela primeira vez em semanas, um sorriso genuíno se espalha pelo meu rosto. Isso é bom. Humano.

Mas Aaron balança a cabeça, claramente mortificado. Ele não consegue encontrar meus olhos. Sua voz é cuidadosa, baixa, quando diz:

— Não é nada disso o que eu quis dizer.

— Ei. — Meu sorriso desaparecendo. Pego suas mãos nas minhas, aperto. — Olhe para mim.

Ele olha.

E esqueço o que eu ia dizer.

Ele tem esse tipo de cara. O tipo de cara que faz você esquecer onde está, quem você é, o que poderia estar prestes a fazer ou dizer. Senti tanto a falta dele. Senti falta dos olhos. Faz apenas algumas semanas, mas parece uma eternidade desde a última vez que o vi, uma vida cheia de revelações horríveis que ameaçaram nos derrubar. Não posso acreditar que ele esteja aqui, que nos encontramos e resolvemos as coisas.

Não é pouca coisa.

Mesmo com todo o resto – com todos os outros horrores que ainda temos que enfrentar – estar aqui com ele parece uma grande vitória. Tudo parece novo. Minha mente parece nova, minhas memórias, novas. Até o rosto de Aaron é novo, à sua maneira. Ele parece um pouco diferente para mim agora.

Familiar.

Como se ele sempre estivesse aqui. Sempre vivesse no meu coração.

Seu cabelo, espesso, dourado e lindo, é como eu mais me lembro – Evie também deve ter feito alguma coisa com o cabelo dele, de alguma forma. E, mesmo que ele pareça mais exausto do que eu gostaria, seu rosto ainda é marcante. Linhas bonitas e definidas. Olhos verdes penetrantes tão claros e brilhantes que quase dói de se olhar. Tudo a respeito dele é finamente trabalhado. O nariz. O queixo. Suas orelhas e sobrancelhas. Ele tem uma boca linda.

Eu demoro muito tempo ali, meus olhos traindo a mente, e Aaron sorri. *Aaron*. Chamá-lo de Warner não parece mais certo.

– O que você está fazendo, amor?

– Só apreciando a vista – respondo, ainda mirando sua boca. Levanto a mão e toco dois dedos em seu lábio inferior. Memórias me inundam em uma enxurrada repentina e de tirar o fôlego. Até tarde da noite. Durante a madrugada. Sua boca em mim. Em toda parte. De novo e de novo.

Ouço-o expirar, de repente, e o fito.

Seus olhos estão mais escuros, pesados de sentimentos.

– O que você está pensando?

Balanço a cabeça, sentindo-me tímida de repente. É estranho, considerando o quanto estivemos perto, que eu agora me sinta tímida perto dele. Mas a sensação é de que ele é ao mesmo tempo antigo e novo para mim, como se ainda estivéssemos aprendendo um sobre o outro. Ainda descobrindo o que nosso relacionamento significa e o que queremos nos dizer. As coisas parecem mais profundas, desesperadas.

Mais importantes.

Pego as mãos dele mais uma vez.

– Como você está? – sussurro.

Ele observa nossas mãos entrelaçadas quando diz:

– Meu pai ainda está vivo.

– Eu ouvi. Eu sinto muito.

Ele faz um sinal afirmativo com a cabeça. Olha para longe.

– Você o viu?

Outro aceno.

– Tentei matá-lo.

Fico imóvel.

Sei o quanto é difícil para Aaron enfrentar seu pai. Anderson sempre foi seu oponente mais formidável; Aaron nunca foi capaz de lutar com ele de frente. Nunca foi capaz de levar a cabo suas ameaças de matar o pai.

É surpreendente que ele tenha chegado tão perto.

E então Aaron me conta como seu pai tem poderes de cura semifuncionais, como Evie tentou recriar o DNA das gêmeas para ele.

— Então seu pai é basicamente invencível?

Aaron ri baixinho. Balança a cabeça.

— Acho que não. Isso o torna mais difícil de ser morto, mas com certeza há uma fenda a ser encontrada na armadura dele. — Ele suspira. — Acredite ou não, a parte mais estranha de tudo era que, depois disso, meu pai ficou orgulhoso de mim. Orgulhoso de mim por tentar matá-lo. — Aaron me encara. — Você pode imaginar?

— Sim — sussurro. — Eu posso.

Os olhos de Aaron se aprofundam de emoção. Ele me puxa para perto. — Sinto muito, meu amor. Eu sinto muito por tudo o que eles fizeram para você. Por tudo o que eles fizeram você passar. Me mata saber que você estava sofrendo. Que eu não podia estar presente quando você precisou.

— Não quero pensar sobre isso agora. — Eu balanço a cabeça. — Agora tudo que eu quero é *isto*. Desejo apenas estar aqui. Com você. O que vier na sequência, enfrentaremos juntos.

— Ella — ele diz suavemente.

Uma onda de sentimento me invade. Ouvi-lo dizer meu nome — meu verdadeiro nome — faz tudo parecer real. Faz nós sermos reais.

Eu encontro seus olhos.

Ele sorri.

— Sabe... Sinto tudo quando você me toca, meu amor. Posso sentir seu entusiasmo. Seu nervosismo. Seu prazer. E adoro — ele diz baixinho. — Adoro o jeito com que você responde a mim. Adoro o jeito que você me *quer*. Sinto quando você se perde, o jeito que você confia em mim quando estamos juntos. E eu sinto seu amor por mim – ele sussurra. – Eu sinto nos meus ossos.

Ele se afasta.

– Eu te amei a vida toda. – Ele olha para cima, olha para mim com tanto sentimento que quase parte meu coração. – Depois de tudo o que passamos, depois de todas as mentiras, dos segredos e dos mal-entendidos, sinto que nos foi dada uma chance de começar de novo. Quero começar de novo – ele afirma. – Eu nunca mais quero mentir para você. Quero que confiemos um no outro e que sejamos parceiros de verdade em tudo. Sem mais mal-entendidos, sem mais segredos. Quero que comecemos de novo, aqui, neste momento.

Concordo assentindo, recuando um pouco para que eu possa ver seu rosto mais claramente. Emoções se acumulam na minha garganta, ameaçam me sobrecarregar.

– Também quero isso. Quero tanto...

– Ella – diz ele, sua voz rouca de sentimento. – Eu quero passar o resto da minha vida com você.

Meu coração para.

Encaro-o, incerta, pensamentos girando na minha cabeça. Toco sua bochecha e ele desvia o olhar, toma um fôlego repentino e trêmulo.

– O que você está dizendo? – sussurro.

– Eu te amo, Ella. Eu te amo mais que...

– Uau. Vocês dois não poderiam esperar até voltarmos à base, hein? Não poderiam ter poupado os meus olhos?

O som da voz de Kenji me puxa de súbito para fora da minha mente. Viro-me rápido demais, me desenroscando desajeitadamente do corpo de Aaron.

Aaron, por outro lado, empalidece.

Kenji lhe joga um travesseiro de avião.

— De nada — diz ele.

Aaron devolve o travesseiro sem uma palavra, seus olhos faiscando na direção de Kenji. Ele parece ao mesmo tempo chocado e zangado, e se inclina para a frente no assento, os cotovelos equilibrados nos joelhos, a base das mãos pressionada nos olhos.

— Você é uma praga sobre a minha vida, Kishimoto.

— Eu disse *de nada*.

Aaron suspira pesado.

— O que eu daria para quebrar seu pescoço agora, você não faz ideia.

— Ei, você não faz ideia do que acabei de fazer por você — diz Kenji. — Então, vou repetir mais uma vez: *de nada*.

— Eu nunca pedi sua ajuda.

Kenji cruza os braços. Quando ele fala, exagera cada palavra, como se estivesse falando com um idiota.

— Acho que você não está entendendo.

— Tenho mais clareza do que nunca.

— Você realmente achou que seria uma boa ideia? — Kenji diz, balançando a cabeça. — Aqui? Agora?

Aaron trava a mandíbula. Ele parece pronto para briga.

— Cara, este não é o momento.

— E quando, exatamente, você se tornou especialista nesse tipo de coisa?

Olho de um para o outro.

— O que está acontecendo? — questiono. — De que vocês estão falando?

— Nada — eles dizem ao mesmo tempo.

— Hum, tudo bem. — Observo-os, ainda confusa, e estou prestes a fazer outra pergunta quando Kenji diz, de repente:

— Quem quer almoçar?

Minhas sobrancelhas disparam na minha testa.

— Temos almoço?

— É muito horrível — explica Kenji —, mas Nazeera e eu trouxemos uma cesta de piquenique com a gente, sim.

— Acho que estou a fim de experimentar o conteúdo da cesta misteriosa. — Eu sorrio para Aaron. — Está com fome?

Mas Aaron não diz nada. Ele ainda está olhando para o chão. Toco sua mão e então ele suspira e fala:

— Não estou com fome.

— Não é uma opção — Kenji adverte, severo. — Tenho certeza de que você não comeu nada desde que saiu da prisão falsa.

Aaron franze a testa e, quando olha para cima, diz:

— Não era uma prisão falsa. Foi uma prisão muito real. Eles me envenenaram durante semanas.

— O quê? — Meus olhos se arregalam. — Você nunca me...

Kenji me interrompe com um aceno.

— Eles te deram comida, água, e deixaram você ficar com a roupa do corpo, não é?

— Sim, mas...

Ele encolhe os ombros.

— Parece que você teve umas pequenas férias.

Aaron suspira, parecendo ao mesmo tempo irritado e exausto quando passa a mão pelo rosto.

Não gosto disso.

— Ei... Por que você está irritando tanto ele? — indago, franzindo a testa para Kenji. — Pouco antes de ele e Nazeera aparecerem, você estava falando sobre o quanto ele era maravilhoso e n...

De repente, Kenji fala um palavrão em voz baixa.

— Merda, J. — Ele me lança um olhar sombrio. — O que eu te disse sobre repetir essa conversa em voz alta?

Aaron se senta, a frustração em seus olhos lentamente vai dando lugar à surpresa.

— Você acha que eu sou maravilhoso? — ele provoca, com a mão pressionada contra o peito fingindo afeto. — Isso é tão fofo...

— Eu *nunca* disse que você era maravilhoso.

Aaron inclina a cabeça.

— Então o que, exatamente, você disse?

Kenji se afasta. Não diz nada.

Sorrio para Kenji:

— Ele falou que você ficava bem em tudo e que você era bom em tudo.

O sorriso de Aaron se aprofunda.

Aaron quase nunca sorri o suficiente para eu ver suas covinhas, mas, quando isso acontece, elas transformam seu rosto. Seus olhos se iluminam. Suas bochechas ficam rosadas com o sentimento. Ele parece de repente doce. *Adorável.*

É de perder o fôlego.

Mas ele não está olhando para mim, e sim para Kenji, com um semblante risonho quando diz:

– Por favor, me diga que ela não está falando sério.

Kenji mostra o dedo do meio para nós dois.

Aaron ri. E então, inclinando-se mais para perto:

– Você acha mesmo que fico bem em tudo?

– Cale a boca, idiota.

Aaron ri novamente.

– Parem de se divertir sem mim – Nazeera grita do cockpit. – Chega de fazerem piadas até que eu coloque essa coisa no piloto automático.

Fico tensa.

– Os aviões têm piloto automático?

– Hum. – Kenji coça a cabeça. – Eu realmente não sei, sabia?

Mas então Nazeera se aproxima de nós, alta, bonita e descomplicada. Ela não está cobrindo o cabelo hoje, o que acho que faz sentido, considerando que é geralmente ilegal, mas sinto um pânico fraco se espalhar pelo meu corpo quando percebo que ela não tem pressa de voltar ao cockpit.

– Espere... Ninguém está pilotando o avião – observo. – Alguém não deveria estar pilotando o avião?

Ela acena para eu não me preocupar.

– Está tudo certo. De qualquer maneira, essas coisas são praticamente automáticas agora. Não preciso fazer mais do que inserir coordenadas e garantir que tudo esteja funcionando perfeitamente.

– Mas...

– Está tudo bem – ela tranquiliza, lançando-me um olhar afiado. – Estamos bem. Mas alguém precisa me dizer o que está acontecendo.

— Tem certeza de que estamos bem? – pergunto mais uma vez, em voz baixa.

Ela me fulmina com um olhar sombrio.

Suspiro.

— Bem, nesse caso – continuo –, você deveria saber que Kenji estava apenas admirando o senso de estilo do Aaron.

Nazeera se vira para Kenji. Ergue uma única sobrancelha.

Kenji balança a cabeça, visivelmente irritado.

— Eu não estava... droga, J, você não tem lealdade.

— Eu tenho muita lealdade – afirmo, levemente ofendida. – Mas, quando vocês brigam assim, fico estressada. Só quero que o Aaron saiba que, secretamente, você se importa com ele. Amo vocês dois e quero que vocês dois sejam amig...

— Espere – Aaron franze a testa –, o que você quer dizer com amar nós dois?

Olho entre ele e Kenji, surpresa.

— Quero dizer que me preocupo com vocês dois. Eu amo vocês dois.

— Certo – Aaron hesita –, mas você não ama *realmente* os dois. Isso é apenas uma figura de linguagem, não é?

É a minha vez de franzir a testa.

— Kenji é o meu melhor amigo – afirmo. – Eu o amo como um irmão.

— Mas...

— Também te amo, princesa – diz Kenji, um pouco alto demais. – E agradeço por você dizer isso.

Aaron murmura algo em voz baixa que soa suspeitosamente como *"Idiota sujo e fedido"*.

— O que você acabou de falar para mim? — Os olhos de Kenji se arregalam. — Fique sabendo que tomo banho *o tempo todo*...

Nazeera coloca a mão calmamente no braço de Kenji e ele leva um susto ao sentir o toque. Ele olha para ela, piscando sem entender.

— Temos mais cinco horas à nossa frente neste voo — diz ela, e sua voz é firme, mas gentil. — Então, recomendo que a gente deixe essa discussão para amanhã. Acho que está claro para todos que você e o Warner secretamente curtem a amizade um do outro, e não é bom para ninguém fingir o contrário.

Kenji empalidece.

— Isso soa como um plano razoável? — Ela nos encara. — Podemos todos concordar que estamos no mesmo time?

— Sim — afirmo, com entusiasmo. — Por mim, sim. Concordo.

Aaron diz:

— Tudo bem.

— Ótimo — fala Nazeera. — Kenji, você está bem?

Ele balança a cabeça e murmura algo em voz baixa.

— Perfeito. Agora aqui está o plano — ela continua, rápida e prática. — Vamos comer e depois nos revezar tentando dormir um pouco. Nós teremos uma tonelada de coisas com que lidar quando aterrissarmos, e é melhor se pisarmos no chão já correndo quando chegar o momento. — Ela joga alguns saquinhos fechados a vácuo para cada um de nós. — Esse é o almoço de vocês. Há garrafas de água na geladeira em frente. Kenji e eu vamos ficar com o primeiro turno...

— De jeito nenhum — Kenji diz, cruzando os braços. — Você está acordada há 24 horas seguidas. Fico com o primeiro turno.

— Mas...

— Warner e eu vamos fazer o primeiro turno juntos, na verdade. – Kenji lança um olhar para Warner. – Não é isso mesmo?

— Sim, claro – Aaron concorda. Ele já está em pé. – Eu ficaria feliz em fazer isso.

— Ótimo – responde Kenji.

Nazeera já está sufocando um bocejo, tirando um monte de cobertores e travesseiros finos de um armário.

— Tudo bem então. Só nos acorde daqui a umas duas horas, ok?

Kenji levanta uma sobrancelha para ela.

— Certo.

— Estou falando sério.

— Sim. Entendi. – Kenji oferece a ela uma continência de mentira, Aaron me oferece um sorriso rápido, e os dois desaparecem no cockpit.

Kenji fecha a porta atrás deles.

Estou olhando para a porta fechada, imaginando o que diabos está acontecendo entre os dois, quando Nazeera começa:

— Eu não tinha ideia de que vocês dois eram tão intensos.

Eu olho para cima, surpresa.

— Quem? Eu e o Aaron?

— Não – ela explica, sorrindo. – Você e o Kenji.

— Ah. – Franzo a testa. – Não acho que somos intensos.

Ela me lança um olhar engraçado.

— Estou falando sério. Acho que temos uma amizade bem normal.

Em vez de me responder, ela diz:

— Vocês dois já... – ela acena em direção a nada em especial – ... ficaram?

– O quê? – Meus olhos se arregalam. Um calor traidor inunda meu corpo. – Não.

– Nunca? – ela quer saber, seu sorriso lento.

– Nunca. Juro. Nada perto disso.

– Tá.

– Não que haja algo de errado com ele – eu me apresso em acrescentar. – Kenji é maravilhoso. A pessoa certa teria sorte de estar com ele.

Nazeera ri baixinho.

Ela carrega a pilha de travesseiros e cobertores até a fileira de assentos do avião e começa a reclinar os encostos. Eu a observo trabalhar. Há algo tão suave e refinado em seus movimentos – algo inteligente em seus olhos, o tempo todo. Isso me faz pensar no que ela está pensando, no que está planejando. Por que ela está aqui?

De repente, ela suspira, mas não me olha ao dizer:

– Você ainda se lembra de mim?

Levanto as sobrancelhas, surpresa.

– Claro – respondo baixinho.

Ela acena com a cabeça e diz:

– Faz algum tempo que estou esperando você se recuperar. – E se senta, convidando-me a acompanhá-la dando um tapinha no assento ao lado dela.

Eu vou.

Sem palavras, ela me entrega alguns cobertores e travesseiros. E então, quando nós duas estamos instaladas e analiso desconfiada o pacote selado a vácuo de "comida" que ela jogou em mim, pergunto:

– Então você também se lembra de mim?

Nazeera rasga o pacote lacrado. Dá uma olhada dentro para estudar o conteúdo.

— Emmaline me guiou para você — ela responde baixinho. — As memórias. As mensagens. Era ela.

— Eu sei — afirmo. — Ela está tentando nos reunir. Quer que fiquemos juntas.

Nazeera sacode o conteúdo do saquinho em sua mão, apanha os pedaços de frutas liofilizadas e me fita.

— Você tinha cinco anos quando desapareceu — explica. — Emmaline tinha seis anos. Sou seis meses mais velha que você e seis meses mais nova que Emmaline.

Eu confirmo balançando a cabeça.

— Nós três éramos melhores amigas.

Nazeera desvia o olhar, parecendo triste.

— Eu realmente amava Emmaline — diz ela. — Nós éramos inseparáveis. Fazíamos tudo juntas. — Ela encolhe os ombros, um lampejo de dor atravessando seu rosto. — Isso foi tudo o que conseguimos. O que quer que tenhamos sido foi roubado de nós.

Ela pega dois pedaços de fruta e os coloca na boca. Observo-a mastigar pensativa, e espero por mais.

Mas os segundos passam e ela não diz nada, e decido que devo preencher o silêncio:

— Então, na verdade, não vamos dormir nada, né?

Isso faz com que ela sorria. Ainda assim, ela não olha para mim. Finalmente, diz:

— Sei que você e Warner passaram por coisas terríveis. Mas, se isso te fizer se sentir melhor, eles limparam as memórias de todos nós, no começo.

– Eu sei. Emmaline me contou.

– Eles não queriam que nos lembrássemos de você – continua. – Não queriam que nos lembrássemos de muitas coisas. Emmaline te disse que ela procurou todos nós? Você, eu, Warner, meu irmão, todas as crianças.

– Ela me contou um pouco, sim. Você falou com algum dos outros sobre isso?

Nazeera confirma com a cabeça. Coloca outro pedaço de fruta na boca.

– E?

Ela inclina a cabeça.

– Veremos.

Meus olhos se arregalam.

– O que isso significa?

– Vou saber de mais coisas quando pousarmos, isso é tudo.

– Então... Como você sabe? – indago, franzindo um pouco a testa. – Se você só tivesse lembranças de mim e de Emmaline quando crianças, como você amarrou tudo de volta ao presente? Como você sabia que eu era a Ella da nossa infância?

– Sabe, eu não tinha cem por cento de certeza de que eu estava certa a respeito de tudo até ver você no jantar naquela primeira noite na base.

– Você me reconheceu? – pergunto. – De quando eu tinha cinco anos?

– Não – ela afirma, e acena para a minha mão direita. – A cicatriz no seu pulso.

– Isso? – pergunto, levantando a mão. E então franzo a testa, lembrando que Evie reparou minha pele. Antes eu tinha cicatrizes desbotadas em todo o meu corpo; as que estavam nas minhas mãos eram as piores. Minha mãe adotiva uma vez colocou minhas mãos no fogo. E eu me machucava muito quando ficava trancada; muitas queimaduras, muitas feridas mal cicatrizadas. Balanço a cabeça para Nazeera quando falo: – Eu tinha cicatrizes na mão da época em que passei no hospício. Evie se livrou delas.

Nazeera pega minha mão, vira a palma aberta para cima. Cuidadosamente, ela traça uma linha do meu pulso ao meu antebraço.

– Você se lembra daquela que ficava aqui?

– Lembro. – Eu levanto as sobrancelhas.

– Meu pai tem uma coleção de espadas bem extensa – conta, soltando minha mão. – Lâminas realmente lindas... Coisas douradas, feitas à mão, antigas e ornamentadas. Enfim... – ela diz, batendo na cicatriz invisível no meu pulso. – Fui eu que fiz aquela em você. Entrei na sala de espadas do meu pai e achei que seria divertido praticarmos um pequeno combate corpo a corpo. Mas eu te cortei bem feio, e minha mãe quase me deu uma surra. – Ela ri. – Nunca vou esquecer daquilo.

Enrugo a testa para ela, onde minha cicatriz costumava ficar.

– Você não disse que éramos amigas quando tínhamos cinco anos?

Ela acena com a cabeça.

– Tínhamos cinco anos e achávamos que seria divertido brincar com espadas de verdade?

Ela ri. Parece confusa.

– Eu nunca disse que tivemos uma infância *normal*. Nossas vidas eram muito zoadas – E ri de novo. – Nunca confiei nos meus pais. Eu sempre soube que eles estavam atolados até os joelhos em alguma merda macabra. Sempre tentei descobrir mais coisas.

Há anos que tento invadir os arquivos eletrônicos do Baba – ela confessa. – E por muito tempo só acessei informações básicas. Eu aprendi sobre os hospícios. Os não naturais.

– É por isso que você escondeu suas habilidades deles – observo, finalmente entendendo.

Ela confirma.

– Mas eu queria saber mais. Eu sabia que estava apenas arranhando a superfície de algo grande. Mas os níveis de segurança nas contas do meu pai são diferentes de tudo o que já vi antes. Consegui passar pelos primeiros níveis. Foi assim que aprendi sobre a sua existência e a de Emmaline, alguns anos atrás. Baba tinha toneladas de registros, relatórios sobre seus hábitos e atividades diárias, um diário com a hora e a data de cada lembrança que roubaram de você, e eram todos dos últimos anos e meses.

Fico boquiaberta.

Nazeera me lança um olhar compreensivo.

– Havia breves menções de uma irmã nos arquivos – diz ela –, mas nada substancial; na maioria das vezes, apenas uma nota de que vocês eram poderosas e haviam sido doadas para a causa por seus pais. Mas não consegui encontrar nada sobre a irmã desconhecida, o que me fez pensar que os arquivos dela estavam mais protegidos. Passei os últimos dois anos tentando entrar nos níveis mais profundos da conta de Baba e nunca tive sucesso. Então deixei isso um pouco de lado por um tempo.

Ela coloca outro pedaço de fruta seca na boca.

– Foi só quando meu pai começou a perder o juízo *dele*, depois que você quase matou Anderson, que comecei a suspeitar. Foi quando comecei a me perguntar se a *Juliette Ferrars* sobre quem ele ficava gritando não era alguém importante. – Ela me estuda de soslaio. – Eu sabia que você não poderia ter sido algum tipo de *não natural*. Eu simplesmente sabia. Baba ficou *maluco*. Então comecei a invadir de novo.

– Nossa... – exclamo.

– Sim – ela assente. – Certo? De qualquer forma, tudo o que estou tentando dizer é que tenho tentado farejar o que está cheirando mal nessa situação toda há alguns anos e, agora, com a Emmaline na minha cabeça, estou enfim chegando perto de descobrir tudo.

Eu olho para ela.

– A única coisa que ainda não sei é *por que* Emmaline está trancada. Não sei o que eles estão fazendo com ela. E não entendo por que isso é um segredo tão grande.

– Eu sei – respondo.

Sua cabeça vira para mim de repente. Ela me encara com os olhos arregalados.

– Isso que é jeito de ir direto ao ponto, Ella.

Eu rio, mas o som é triste.

Warner

Assim que nos sentamos, Kenji se vira para mim e questiona:
— Você quer me contar o que diabos está acontecendo?
— Não.
Kenji revira os olhos. Ele abre seu saquinho de lanches e nem inspeciona o conteúdo antes de virar tudo dentro da boca. Fecha os olhos enquanto mastiga. Faz ruídos pouco satisfeitos.
Consigo lutar contra o impulso de me encolher, mas não consigo me impedir de dizer:
— Você come como um homem das cavernas.
— Não, não como — ele responde com raiva. E então, um momento depois: — Como?
Hesito, sentindo sua súbita onda de constrangimento. De todos os sentimentos que detesto experimentar, vergonha alheia pode ser o pior. Me acerta bem no estômago. Me faz querer virar minha pele do avesso.
E é de longe a maneira mais fácil de me fazer capitular.
— Não — respondo pesadamente. — Você não come como um homem das cavernas. Isso foi injusto.

Kenji olha para mim. Há esperança demais em seus olhos.

– Nunca vi ninguém comer com tanto entusiasmo quanto você.

Kenji levanta uma sobrancelha.

– Não estou entusiasmado. Estou com fome.

Com cuidado, abro meu próprio pacote. Balanço a embalagem para caírem alguns pedaços de fruta na minha mão aberta.

Parecem vermes desidratados.

Devolvo as frutas ao saco, tiro os farelos das mãos e ofereço minha porção para Kenji.

– Você tem certeza? – ele fala, já pegando o pacote de mim.

Confirmo.

Ele me agradece.

Nós dois não falamos nada por um tempo.

– Então – Kenji diz finalmente, ainda mastigando. – Você ia pedi-la em casamento. Caramba.

Eu exalo longa e pesadamente.

– Como você poderia saber de uma coisa assim?

– Porque não sou surdo.

Eu levanto as sobrancelhas.

– Faz eco aqui.

– Com certeza não faz eco aqui.

– Pare de mudar de assunto – diz ele, jogando mais frutas na boca. – O ponto é que você ia pedi-la em casamento. Você nega isso?

Desvio o olhar, passo a mão pela lateral do meu pescoço, massageando os músculos doloridos.

– Não nego.

– Então parabéns. E sim, eu ficaria feliz em ser seu padrinho no casamento.

Levanto os olhos, surpreso.

– Não tenho interesse em abordar a última parte do que você acabou de dizer, mas... Por que me dar os parabéns? Pensei que você fosse veementemente contrário à ideia.

Kenji franze a testa.

– O quê? Não sou contra a ideia.

– Então por que você estava tão zangado?

– Eu te achei idiota por fazer isso *aqui* – ele explica. – Neste momento. Eu não queria que você fizesse algo do qual fosse se arrepender. Que vocês dois se arrependessem.

– Por que eu me arrependeria de fazer o pedido agora? Este parece um momento tão bom quanto qualquer outro.

Kenji ri, mas de alguma forma consegue manter a boca fechada. Ele engole outra porção de comida e continua:

– Você não quer, eu não sei... comprar algumas rosas para ela? Acender uma vela? Talvez entregar uma caixa de chocolates ou qualquer coisa? Ou, caramba, ah, não sei... talvez você queira comprar um *anel* para ela primeiro?

– Eu não entendo.

– Fala sério, cara... Você nunca viu, tipo, um filme?

– Não.

Kenji olha para mim, perplexo.

– Você está me enganando – diz ele. – Por favor, me diga que você está zoando com a minha cara.

Eu me irrito.

— Nunca tive permissão para ver filmes quando era menor, então nunca peguei o hábito, e, depois que o Restabelecimento assumiu, esse tipo de coisa era ilegal mesmo. Além disso, não gosto de ficar parado no escuro por tanto tempo. Não gosto das manipulações emocionais do cinema.

Kenji leva as mãos ao rosto, os olhos arregalados com algo parecido com horror.

— Você tem que estar brincando comigo.

— Por que... Não entendo por que isso é estranho. Eu fui educado em casa. Meu pai era muito...

— Há muitas coisas sobre você que nunca fizeram sentido para mim — Kenji revela, fitando, perplexo, a parede atrás de mim. — Tipo, tudo sobre você é estranho, sabe?

— Não — respondo sem humor. — Não acho que eu sou estranho.

— Mas agora tudo faz sentido. — Ele balança a cabeça. — Tudo faz muito sentido. Uau. Quem imaginaria.

— *O que* faz sentido?

Kenji parece não me ouvir. Em vez disso, ele diz:

— Ei, há mais alguma coisa que você nunca fez? Tipo, sei lá, você já nadou? Ou apagou velas em um bolo de aniversário?

— Claro que já nadei — respondo, irritado. — A natação foi uma parte importante do meu treinamento tático. Mas nunca... — Limpo a voz antes de continuar. — Não, eu nunca tive meu próprio bolo de aniversário.

— Caramba.

— *Qual é o seu problema*?

— Ei — diz Kenji, de repente. — Você sabe quem é Bruce Lee?

Hesito.

Há um desafio em sua voz, mas Kenji não está gerando muito mais em termos de pistas emocionais, então não entendo a importância da pergunta. Finalmente, eu digo:

— Bruce Lee era ator. Embora ele também seja considerado um dos maiores artistas marciais do nosso tempo. Ele fundou um sistema de artes marciais chamado *jeet kune do*, um tipo de kung fu chinês que evita padrões e formas. O nome dele chinês é Lee Jun-fan.

— Putz — diz Kenji. Ele se arruma na poltrona, olhando para mim como se eu fosse um alienígena. — Ok. Eu não estava esperando isso.

— O que Bruce Lee tem a ver com alguma coisa?

— Primeiro de tudo — diz ele, levantando um dedo —, Bruce Lee tem tudo a ver com tudo. E, segundo de tudo, você pode, tipo, fazer aquilo? — Ele estala os dedos na direção da minha cabeça. — Você pode simplesmente, tipo, se lembrar dessas merdas? Fatos aleatórios?

— Não são fatos aleatórios. São informações. Informações sobre o nosso mundo, seus medos, histórias, fascinações e prazeres. É meu trabalho conhecer esse tipo de coisa.

— Mas você nunca viu um único filme?

— Eu não precisei. Eu sei o suficiente sobre cultura pop para saber quais filmes importavam ou faziam a diferença.

Kenji balança a cabeça olhando para mim com algo que parece espanto.

— Mas você não sabe nada sobre os *melhores* filmes. Você nunca viu as coisas realmente boas. Caramba, você provavelmente nunca ouviu falar das coisas boas.

— Experimenta.

— Você já ouviu falar de *Um tira muito suspeito*?

Eu pisco para ele.

— Isso é o nome de um filme?

— *Romeu tem que morrer*? *Os bad boys*? *A hora do rush*? *A hora do rush 2*? *A hora do rush 3*? Na verdade, *A hora do rush 3* não foi tão bom assim. *Enrolados*?

— Esse último, acredito, é um desenho animado sobre uma garota com cabelos muito compridos, inspirado no conto de fadas alemão *Rapunzel*.

Kenji parece que está sufocando.

— Um *desenho animado*? — Ele está indignado. — *Enrolados* não é um *desenho animado*. *Enrolados* é um dos maiores filmes de todos os tempos. É sobre lutar pela liberdade e pelo amor verdadeiro.

— Por favor — peço, passando a mão cansada no rosto. — Não me importo mesmo com o tipo de desenhos que você gosta de assistir no seu tempo livre. Só quero saber por que você está tão certo de que eu estava cometendo um erro hoje.

Kenji suspira tão profundamente que seus ombros caem. Ele se larga na poltrona.

— Eu não posso acreditar que você nunca viu *Homens de preto*. Ou *Independence Day*. — Ele olha para mim, seus olhos brilhantes. — Merda, você adoraria *Independence Day*. Will Smith soca um alienígena na cara, pelo amor de Deus. É muito bom.

Encaro-o.

— Meu pai e eu costumávamos ver filmes o tempo todo — fala em voz baixa. — Meu pai adorava filmes. — Kenji só se permite sentir sua dor por um momento, mas, quando o faz, aquilo tudo me atinge como uma onda louca e desesperada.

— Sinto muito pela sua perda — murmuro.

— Sim, bem. — Ele passa a mão sobre o rosto. Esfrega os olhos e suspira. — De qualquer forma, faça o que quiser. Eu só acho que você deveria comprar um anel ou algo assim antes de se ajoelhar.

— Eu não estava pensando em me ajoelhar.

— O quê? — Ele franze a testa. — Por que não?

— Isso parece ilógico.

Kenji ri. Revira os olhos.

— Escute, confie em mim e pelo menos compre um anel primeiro. Mostre para ela que você realmente pensou sobre isso. Pensou por um tempo, sabe?

— Eu pensei bastante.

— Por, tipo, cinco segundos? Ou você quis dizer que estava planejando esse pedido enquanto estava sendo envenenado na prisão? — Kenji ri. — Mano, você literalmente a viu, pela primeira vez, *hoje*, tipo, duas horas atrás, depois de duas semanas de separação, e você acha que pedi-la em casamento é um passo racional e lúcido? — Kenji balança a cabeça. — Apenas reflita um pouco. Pense bem. Faça alguns planos.

E então, de repente, sua reação faz sentido para mim.

— Você não acha que ela vai aceitar. — Eu me sento, pasmo. Foco na parede. — Você acha que ela vai me recusar.

— O quê? Eu nunca disse isso.

— Mas é o que você pensa, não é?

— Ouça — diz ele, e suspira. — Não tenho ideia do que ela vai dizer. Não tenho mesmo. Assim, acho mais do que óbvio que ela te ama, e acho que, se ela está pronta para se chamar de comandante suprema da América do Norte, ela provavelmente está pronta para lidar com algo tão grande quanto isso, mas... – Ele esfrega o queixo, desvia o olhar. – Quero dizer, sim, acho que talvez você devesse pensar nisso por um minuto.

Encaro-o. Considero suas palavras.

Por fim, digo:

– Você acha que eu deveria comprar um anel para ela.

Kenji sorri para o chão. Ele parece estar segurando uma risada.

– Uh. Sim.

– Não sei nada sobre joias.

Ele olha para cima, com os olhos brilhantes de humor.

– Não se preocupe. Tenho certeza de que os arquivos nessa sua cabeça têm toneladas de informações sobre esse tipo de coisa.

– Mas...

O avião dá uma sacudida repentina e inesperada, e sou jogado para trás no meu lugar. Kenji e eu nos encaramos por um segundo prolongado, a cautela dando lugar ao medo, o medo lentamente se transformando em pânico.

O avião sacode de novo. Desta vez com mais força.

E então, mais uma vez.

– Isso não é turbulência – afirmo.

Kenji xinga alto e se levanta com um salto. Ele examina o painel por um segundo antes de se virar, apertando a cabeça entre as mãos como uma morsa.

– Eu não consigo ler esses monitores – revela –, não tenho ideia de como ler esses malditos monitores.

Abro a porta da cabine com um empurrão bem no instante em que Nazeera vem correndo. Ela passa por mim para examinar o painel e, quando se afasta, parece repentinamente aterrorizada.

— Perdemos um dos nossos motores — explica, suas palavras quase um sussurro. — Alguém está querendo nos tirar do céu.

— O quê? Como que isso é...

Mas não há tempo para discutir. E Nazeera e eu mal temos uma chance de tentar descobrir uma maneira de resolver antes que o avião se sacuda, mais uma vez, e agora as máscaras de oxigênio de emergência caem de seus compartimentos superiores. Sirenes estão berrando. As luzes do teto piscam rapidamente, sinais insistentes e estridentes nos avisam de que o sistema está falhando.

— Temos que tentar pousar o avião — Nazeera está dizendo. — Temos que descobrir... Merda — ela xinga. Então cobre a boca com a mão. — Acabamos de perder outro motor.

— Então, vamos simplesmente cair do maldito céu? — Isso vem de Kenji.

— Nós não podemos pousar o avião — falo, meu coração batendo furiosamente, ao mesmo tempo em que tento manter a cabeça no lugar. — Não assim, não quando estamos com dois motores ausentes. Não enquanto eles ainda estão atirando em nós.

— Então, o que vamos fazer? — ela diz.

É Ella, na porta, que murmura:

— Temos que pular.

~~Juliette~~ Ella

– *O quê?*

Os três se viram para mim.

– Do que você está falando? – Kenji indaga.

– Meu amor, essa não é mesmo uma boa ideia; não temos nenhum paraquedas neste avião, e sem eles...

– Não, ela está certa – concorda Nazeera, cautelosa. Ela está me olhando nos olhos. Parece entender o que estou pensando.

– Vai funcionar – digo. – Você não acha?

– Sinceramente, não faço ideia – ela responde. – Mas claro que vale a pena tentar. Pode ser a nossa única chance.

Kenji está começando a andar de um lado para o outro.

– Certo, alguém precisa me dizer o que diabos está acontecendo.

Aaron ficou pálido.

– Meu amor – ele diz de novo –, o que...

– Nazeera pode voar – explico. – Se todos nós encontrarmos uma maneira de nos protegermos uns com os outros, ela pode usar seus poderes para nos fortalecer, você pode usar seu poder para reforçar o poder *dela*, e como há pouca chance de você conseguir usar tanto da sua força enquanto ainda carrega nosso peso junto, pouco a pouco, devagar, vamos ser arrastados para o chão.

Nazeera olha para o painel de novo.

– Estamos a oito mil pés e perdemos altitude rapidamente. Se vamos fazer isso, temos que pular agora, enquanto o avião ainda está relativamente estável.

– Espere... onde estamos? – Kenji pergunta. – Onde vamos pousar?

– Não tenho certeza – diz ela. – Mas parece que estamos em algum lugar vizinho aos setores de 200 a 300. – Ela olha para Aaron. – Você tem algum amigo nesta região?

Aaron lhe lança um olhar sombrio.

– Não tenho amigos em lugar nenhum.

– Zero habilidades interpessoais – Kenji murmura.

– Nosso tempo acabou – afirmo. – Vamos lá?

– Acho que sim. É o único plano que temos – Kenji afirma.

– Acho que é um plano sólido – acrescenta Aaron, e me lança um olhar hesitante, mas encorajador. – Acredito que devemos encontrar uma maneira de nos unirmos. Algum tipo de amarração, assim, não vamos nos perder no ar.

– Não temos tempo para isso. – A calma de Nazeera está dando lugar ao pânico. – Só vamos ter que nos segurar.

Kenji acena com a cabeça e, de repente, empurra a porta do avião. O ar entra rápido e forte, quase nos derrubando.

Rapidamente, todos nós entrelaçamos os braços, Nazeera e Aaron ficando nas pontas e, com alguns gritos reconfortantes no vento uivante...

Nós pulamos.

É uma sensação aterrorizante.

O vento sopra rápido e forte e, de repente, tudo se acalma. Parecemos estar congelados no tempo, zumbindo no lugar enquanto observamos o jato cair, firmemente, à distância. Nazeera e Aaron parecem estar fazendo seu trabalho bem demais. Não estamos caindo rápido o suficiente, e não só a temperatura é congelante aqui, como o oxigênio é escasso.

– Vou liberar o seu poder – Aaron grita para Nazeera, e ela grita de volta concordando.

Lentamente, começamos a descer.

Observo o mundo borrar ao nosso redor. Caímos flutuando, sem pressa, o vento empurrando com força contra os nossos pés. E então, de repente, a base parece despencar abaixo de nós, e nós descemos como um tiro, com força, rumo ao terreno abaixo.

Dou um grito único e aterrorizado...

Ou foi o Kenji?

... antes de pararmos subitamente, trinta centímetros acima do solo. Aaron aperta meu braço e olho para ele, grata pela interrupção na queda.

E então caímos no chão.

Caio de mal jeito no tornozelo e estremeço, mas consigo colocar peso no meu pé, então sei que está tudo bem. Analiso ao redor para avaliar o estado dos meus amigos, mas percebo, tarde demais, que não estamos sozinhos.

Estamos em um campo vasto e aberto. Isso certamente era uma fazenda, em um passado longínquo, mas agora está reduzida a pouco mais que cinzas. À distância aparece uma fina faixa de pessoas, aproximando-se rapidamente de nós.

Reúno meus poderes, pronta para lutar. Pronta para enfrentar o que vier no nosso caminho. Energia está pulsando dentro de mim, incendiando meu sangue.

Não estou com medo.

Aaron coloca o braço em volta de mim e me puxa para perto.

– Juntos – ele sussurra. – Não importa o que aconteça.

Finalmente, depois do que parecem minutos imensuráveis, dois corpos se separam do grupo. Devagar, caminham até nós.

Meu corpo todo está tenso em preparação para um ataque, mas, à medida que se aproximam, posso discernir seus rostos.

São dois adultos:

O primeiro, uma mulher esbelta e deslumbrante, com cabelo curto e pele tão escura que chega a brilhar. Ela é luminosa enquanto anda, seu sorriso se ampliando a cada passo. Ao lado dela está outro rosto sorridente, mas a visão familiar de sua pele morena e longos dreadlocks dispara choque e pânico no meu sistema. Sinto-me zonza.

Castle.

Sua presença aqui pode ser boa ou ruim. Mil perguntas passam pela minha cabeça, entre elas: o que ele está fazendo aqui? Como ele chegou aqui? Da última vez em que o vi, não achei que ele estivesse do meu lado. Será que ele se voltou contra nós completamente?

A mulher é a primeira a falar.

– Fico feliz em ver que vocês todos estão bem – diz ela. – Receio que não tivemos escolha senão tirar seu avião do céu.

– O quê? O que vo...

– Castle? – A voz baixa e hesitante de Kenji vem de trás de mim.

Castle dá um passo à frente assim que Kenji se move em direção a ele, e os dois se abraçam, Castle o puxando com tanta força que quase posso sentir a tensão de onde estou. Ambos estão visivelmente emocionados, e o momento é tão comovente que alivia meus medos.

– Você está bem – diz Kenji. – Eu pensei...

Haider e Stephan, o filho do comandante supremo da África, saem da multidão. Choque fisga meu corpo ao vê-los. Eles acenam para Nazeera, e os três se separam para formar um novo grupo, ao lado. Eles falam em sussurros baixos e apressados.

Castle respira fundo.

– Temos muito o que conversar. – E então, para mim: – Ella, gostaria que você conhecesse minha filha, Nouria.

Minhas sobrancelhas voam pela minha testa. Fito Aaron, que parece tão aturdido quanto eu, mas Kenji solta um grito repentino, e abraça Castle de novo. Os dois riem. Kenji está dizendo: *De jeito nenhum, de jeito nenhum*

Nouria intencionalmente os ignora e sorri para mim.

– Nós chamamos nosso lar de Santuário – ela explica. – Minha esposa e eu somos as líderes da resistência aqui. Bem-vinda.

Outra mulher se separa da multidão e avança. Ela é pequena, com longos cabelos loiros, e aperta minha mão.

– É uma honra conhecê-la – ela me cumprimenta. – Meu nome é Samantha.

Observo as duas, Nouria e Samantha em pé lado a lado. A felicidade de Castle. O sorriso no rosto de Kenji. O grupo de

Nazeera, Haider e Stephan ao lado. O grupo maior se aglomerando ao longe.

— A honra é nossa — afirmo e sorrio. Depois: — Mas estamos seguros aqui? Ao ar livre assim?

Nouria acena com a cabeça.

— Meus poderes me permitem manipular a luz de maneiras incomuns — diz ela. — Coloquei um escudo protetor ao nosso redor agora, para que, se alguém olhar em nossa direção, veja apenas um clarão doloroso que os forçaria a desviar o olhar.

— Uau. — Os olhos de Kenji se arregalam. — Isso é legal.

— Obrigada — diz Nouria. Ela está praticamente emanando luz, sua pele negra brilha mesmo enquanto está apenas parada. Há algo de tirar o fôlego só de estar ao seu lado.

— São o seu povo? — Ouço Aaron perguntar, falando pela primeira vez. Ele está espiando por cima da cabeça dela, na direção da pequena multidão, ao longe.

Ela confirma balançando a cabeça.

— E estão aqui para se certificarem de que não vamos fazer mal a vocês?

Nouria sorri.

— Eles estão aqui para garantir que ninguém os machuque — ela explica. — Seu grupo é bem-vindo. Vocês já se mostraram mais do que dignos. — E então: — Ouvimos todas as histórias sobre o Setor 45.

— Ouviram? — pergunto, surpresa. — Pensei que o Restabelecimento havia enterrado tudo.

Nouria nega.

– Rumores viajam mais rápido do que qualquer um pode controlar. O continente está vibrando com as notícias de tudo o que vocês têm feito nesses últimos meses. É realmente um prazer conhecê-la – ela me diz e estende a mão. – Eu me senti muito inspirada pelo seu trabalho.

Pego a mão dela, me sentindo orgulhosa e envergonhada.

– Obrigada – agradeço baixinho. – É muita gentileza da sua parte.

Mas então os olhos de Nouria ficam sombrios:

– Sinto *muito* por termos tido a necessidade de atirar em vocês no céu. Deve ter sido apavorante. Mas Castle me garantiu que havia dois entre vocês que podiam voar.

– Espere, o quê? – Kenji arrisca um olhar para Castle. – Você planejou isso?

– Era o único jeito – ele explica. – Quando conseguimos nos livrar do hospício – ele acena agradecido para a Nazeera –, eu soube que o único lugar que nos restava era aqui, com Nouria. Mas não poderíamos usar o rádio para dizer para vocês pousarem aqui; nossa comunicação teria sido interceptada. E não poderíamos ter vocês na base aérea, por razões óbvias. Então, acompanhamos seu avião, esperando pelo momento certo. Tirá-los do céu direciona o problema para o exército. Eles pensarão que foi ação de outra unidade e, quando começarem a descobrir, já teremos destruído todas as provas de termos estado aqui.

– Então... Espere... – falo. – Como você e Nouria coordenaram isso? Como vocês se encontram? – E então: – Castle, se você abandonou os cidadãos... Anderson não vai matar todos eles? Você não deveria ter ficado para protegê-los? Tentar se defender?

Ele sacode a cabeça.

— Não tivemos outra escolha senão evacuar os membros do Ponto Ômega do Setor 45. Depois que vocês dois – ele acena para mim e para Aaron – foram levados, as coisas caíram em um completo caos. Fomos feitos reféns e jogados na prisão. Foi só por causa de Nazeera, que nos conectou com Haider e Stephan, que fomos capazes de chegar até aqui. O Setor 45 voltou à sua condição original de prisão. – Castle respira fundo. – Há muito o que precisamos compartilhar uns com os outros. Tanta coisa aconteceu nas últimas duas semanas que será impossível discutir tudo rapidamente. Mas é importante que você saiba, neste exato momento, um pouco sobre o papel de Nouria em tudo isso.

Ele se vira para Nouria e lhe destina um pequeno aceno com a cabeça.

Nouria me olha nos olhos:

— Naquele dia você foi baleada na praia – ela murmura. – Você se lembra?

Eu hesito.

— Claro.

— Eu que emiti a ordem contra você.

Fico tão chocada que, visivelmente, recuo.

— *O quê?* – Aaron dá um passo à frente, indignado. – Castle, você está *louco*? Você nos pede para nos refugiar na casa de uma pessoa que quase matou Ella? – Ele se vira para trás, me encarando com um olhar selvagem. – Como eu poderia...

— Castle? – Há um aviso na voz de Kenji. – O que está acontecendo?

Mas Nouria e Castle estão olhando um para o outro, e uma mensagem não verbal claramente é transmitida entre eles.

Por fim, Castle suspira.

— Vamos nos instalar antes de continuarmos conversando — ele pede. — Esta é uma longa conversa e é importante.

— Vamos ter a conversa agora — retruca Aaron.

— Sim — apoia Kenji, bravo. — Agora.

— Ela tentou me matar — afirmo, encontrando minha voz. — Por que você me trouxe aqui? O que você está tentando fazer?

— Vocês tiveram uma longa e difícil jornada — diz Castle. — Quero que tenham uma chance de se instalar. Tomem um banho e comam alguma coisa. E depois, prometo, vamos dar todas as respostas que vocês desejarem.

— Mas como podemos confiar que vamos estar seguros? — questiono. — Como podemos saber que Nouria não está tentando nos fazer mal?

— Porque — ela diz com firmeza — eu fiz o que fiz para ajudar você.

— E como isso é plausível? — Aaron exclama.

— Era o único jeito que eu poderia transmitir uma mensagem a você — explica Nouria, ainda olhando para mim. — Nunca tive a intenção de te matar, e eu sabia que suas próprias defesas ajudariam a protegê-la da morte.

— Essa foi uma aposta perigosa de se fazer.

— Acredite em mim — ela diz em voz mais baixa —, foi uma decisão difícil de tomar. E que teve um grande custo para nós... perdemos um dos nossos durante esse processo.

Sinto-me tensa, mas, fora isso, não traio nenhuma emoção. Eu me lembro do dia em que Nazeera me salvou, no dia em que ela matou meu agressor.

— Mas eu tinha que chegar até você – revela Nouria, seus olhos castanho-escuros profundos de sentimento. – Foi a única maneira de fazer isso sem despertar suspeitas.

Minha curiosidade supera meu ceticismo. Por enquanto.

— Então por quê? Por que você fez isso? – pergunto. – Por que me envenenou?

Inesperadamente, Nouria sorri.

— Eu precisava que você visse o que eu vi. E, de acordo com Castle, funcionou.

— O que funcionou?

— Ella. – Ela hesita. – Posso te chamar pelo seu nome verdadeiro?

Eu pisco sem compreender. Olho para Castle.

— Você disse a ela sobre mim?

— Ele não precisou. As coisas não ficam em segredo por muito tempo aqui – diz Nouria. – Não importa em que o Restabelecimento acredite, estamos todos encontrando formas de passar mensagens uns para os outros. Todos os grupos de resistência em todo o mundo já sabem a verdade sobre você. E eles te amam mais por isso.

Não sei o que dizer.

— Ella – ela diz baixinho –, consegui descobrir por que seus pais mantiveram sua irmã em segredo por tanto tempo. E eu só queria...

— Eu já sei – falo, as palavras saindo baixas.

Ainda não falei com ninguém sobre isso; não disse a uma alma sequer. Não houve tempo para discutir algo assim tão grande. Não há tempo para ter uma longa conversa, mas acho que agora teremos.

Nouria está me encarando, atônita.

— Você sabe?

— Emmaline me contou tudo.

Um silêncio se espalha sobre a multidão. Todos se viram para me olhar. Até mesmo Haider, Stephan e Nazeera finalmente pararam de conversar entre si por tempo suficiente para olhar.

– Ela está sendo mantida em cativeiro – revelo. – Ela vive em um tanque quase permanentemente debaixo d'água. Suas ondas cerebrais estão conectadas a turbinas de maré que convertem a energia cinética de sua mente em eletricidade. Evie, minha mãe, encontrou uma maneira de aproveitar essa eletricidade... e projetá-la para fora. Por todo o mundo. – Respiro fundo. – Emmaline é mais forte do que já fui ou poderei ser algum dia. Ela tem o poder de manipular a mente das pessoas, ela pode deformar e distorcer realidades... Aqui. Em toda parte.

O rosto de Kenji é um perfeito encapsulamento de horror, e sua expressão se reflete em dezenas de outros rostos ao meu redor. Nazeera, por outro lado, parece ofendida.

– O que vocês veem aqui? – digo. – Em volta de nós? A decadência da sociedade, a atmosfera quebrada, os pássaros que desapareceram do céu: tudo isso é uma ilusão. É verdade que nosso clima mudou, sim, nós causamos sérios danos à atmosfera, aos animais e ao planeta como um todo, mas esse dano não é irreparável. Os cientistas esperavam que, com um esforço cuidadoso e unido, pudéssemos consertar nossa Terra. Salvar o futuro. Mas o Restabelecimento não gostou desse ângulo. Eles não queriam que as pessoas esperassem. Eles queriam que pensassem que nossa Terra estava além da salvação. E com Emmaline eles conseguiram fazer exatamente isso.

– Por quê? – Kenji pergunta, atordoado. – Por que eles fariam isso? O que eles ganham?

— Pessoas desesperadas e apavoradas — explica Nouria solenemente — são muito mais fáceis de controlar. Eles usaram a irmã de Ella para criar a ilusão de devastação irreversível e então atacaram os fracos e os desesperados, e os convenceram a recorrer ao Restabelecimento para obter apoio.

— Emmaline e eu fomos projetadas para algo chamado Operação Síntese. Ela deveria ser a arquiteta do mundo e eu seria a executora. Só que Emmaline está morrendo. Eles precisam de outra arma poderosa para controlar as pessoas. Uma contingência. Um plano de backup.

Aaron pega minha mão.

— O Restabelecimento queria que eu substituísse minha irmã — revelo.

Pela primeira vez, Nouria fica imóvel. Ninguém sabia dessa parte. Ninguém além de mim.

— Como? — indaga. — Vocês têm habilidades muito diferentes.

É Castle quem diz:

— É fácil imaginar, na verdade. — Mas ele parece aterrorizado. — Se fossem ampliar os poderes de Ella da maneira que faziam com a irmã dela, ela se tornaria o equivalente a uma bomba atômica humana. Ela poderia causar uma destruição em massa. Dor excruciante. Morte quando eles assim desejassem. Ao longo de tremendas distâncias.

— Não temos escolha. — A voz de Nazeera soa nítida e clara. — Temos que matar Evie.

E estou olhando para longe quando murmuro:

— Eu já matei...

Uma exclamação coletiva percorre a multidão. Aaron fica imóvel ao meu lado.

– E agora – continuo –, tenho que matar minha irmã. É o que ela quer. É a única maneira.

Warner

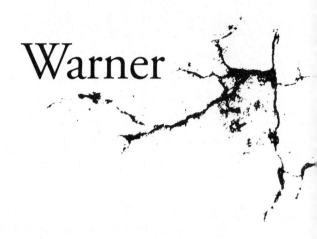

A sede de Nouria é ao mesmo tempo estranha e bonita. Eles não precisam se esconder, porque ela encontrou uma maneira de imbuir os objetos com seu poder – uma evolução de nossas habilidades que nem Castle previu. O acampamento do Santuário é protegido por uma série de postes de seis metros de altura que fazem fronteira com os limites da clareira. Fundidas com o poder de Nouria, as luzes funcionam juntas como uma barreira que torna impossível olhar na direção do acampamento. Ela diz que suas habilidades não só têm o poder de cegar, mas que ela também pode usar a luz para distorcer os sons. Então eles vivem aqui, ao ar livre, com suas palavras e ações protegidas das vistas dos outros. Somente quem conhece o local pode encontrar o caminho até aqui.

Nouria diz que a ilusão os manteve seguros por anos.

O sol começa a descer enquanto seguimos em direção ao acampamento – o vasto campo, com seu verde incomum, pontilhado de barracas cor de creme – e o cenário é tão deslumbrante que não consigo deixar de apreciar a paisagem. Fogo rasga o céu, luz dourada inundando o ar e a terra. Parece bonito e sombrio, e estremeço quando uma rajada de vento envolve meu corpo.

Ella pega minha mão.

Observo-a, surpresa, e ela sorri para mim, o sol poente brilhando em seus olhos. Sinto seu medo, sua esperança, seu amor por mim, mas também há algo mais – algo como orgulho. É fraco, mas está presente, e fico muito feliz em vê-la assim. Ela deveria sentir *orgulho*. Posso falar por mim mesmo, pelo menos, quando digo que nunca fiquei tão orgulhoso dela, mas eu sempre soube que ela estava destinada à grandeza. Não me surpreende de forma alguma, mesmo depois de tudo o que tenha passado – depois de todos os horrores que teve de enfrentar –, que ainda assim conseguiu inspirar o mundo. Ela é uma das pessoas mais fortes que já conheci. Meu pai pode ter retornado dos mortos e o Setor 45 pode estar fora de nossas mãos, mas o impacto de Ella não pode ser ignorado. Nouria diz que ninguém acreditava mesmo que ela estivesse morta, mas agora que é oficial – agora que se espalhou a notícia de que Ella ainda está viva –, ela se tornou mais notória do que nunca. Nouria diz que os ruídos subterrâneos já estão ficando mais fortes. As pessoas estão mais desesperadas para agir, envolver-se e enfrentar o Restabelecimento. Os grupos de resistência estão crescendo. Os civis estão encontrando maneiras de ficarem mais atentos, de ficarem mais fortes unidos. E Ella deu a eles uma figura em torno da qual se reunir. Todo mundo está falando sobre ela.

Ela se tornou um símbolo de esperança para muitos.

Aperto a mão de Ella, retribuindo seu sorriso, e, quando suas bochechas coram, tenho que lutar contra o desejo de puxá-la em meus braços.

Ela me surpreende mais a cada dia.

Minha conversa com Kenji ainda está, apesar de tudo, no primeiro plano da minha mente. As coisas sempre parecem tão desesperadas ultimamente que sinto uma insistência nova e incômoda de que essa janela de calma pode ser minha única chance de felicidade. Estamos quase sempre em guerra, lutando por nossas vidas ou fugindo – e não há garantia de futuro. Nenhuma garantia de que vou viver para ver outro ano. Nenhuma promessa de envelhecer. Isso me faz sentir...

Paro, de repente, e Ella quase tropeça.

– Você está bem? – ela pergunta, apertando minha mão.

Eu confirmo. Ofereço-lhe um sorriso distraído e um pedido de desculpas quando começamos a andar de novo, mas...

Repasso os números mais uma vez.

Por fim, digo, sem olhar para cima:

– Alguém sabe que dia é hoje?

E alguém responde, uma voz do grupo que nem me importo em identificar, confirmando o que já achei que poderia ser verdade. Meu pai não estava mentindo.

Amanhã é meu aniversário.

Vou ter vinte anos.

Amanhã.

A revelação troveja através de mim. Este aniversário parece mais um marco do que o habitual, porque minha vida, exatamente um ano atrás, estava quase irreconhecível. Quase tudo na minha vida é diferente agora. Um ano atrás eu era uma pessoa diferente. Estava em um relacionamento terrível e autodestrutivo com uma pessoa diferente. Um ano atrás, minha ansiedade era tão incapacitante que cinco minutos a sós com minha própria mente me deixariam espiralando por dias. Eu confiava inteiramente nas minhas rotinas e nos meus horários para me manter preso aos horrores intermináveis do meu trabalho e suas exigências. Eu era inflexível além do que seria racional. Ligado à humanidade por um fio tênue. Sentia-me ao mesmo tempo selvagem e quase louco, o tempo todo. Meus pensamentos e medos particulares eram tão sombrios que passava quase todas as minhas horas livres ou me exercitando, no meu campo de tiro, ou nas entranhas do Setor 45, realizando simulações de treinamento que, não tenho orgulho em admitir, projetei especificamente para experimentar me matar, de novo e de novo.

Isso foi um ano atrás. Menos de um ano atrás. De alguma forma, parece que foi há uma vida inteira. E quando penso em quem eu era e no que essa versão de mim mesmo achava que minha vida seria hoje...

Isso tudo me enche de humildade.

Hoje não é para sempre. Felicidade não simplesmente *acontece*. A felicidade deve ser descoberta, separada da pele da dor. Deve ser reivindicada. Mantida por perto.

Protegida.

— Vocês prefeririam uma chance de tomar banho e de se trocar antes de se reunir com os demais? — Nouria está dizendo.

Sua voz é nítida e clara e isso me sacode do meu devaneio.

— Sim — respondo rapidamente. — Eu realmente gostaria de um tempo para descansar.

— Sem problemas. Nos encontramos para jantar na tenda principal em duas horas. Vou mostrar as novas residências de vocês. — Ela hesita. — Espero que me perdoem a presunção, mas considerei que vocês dois – ela olha para mim e Ella – gostariam de compartilhar um mesmo espaço. Mas claro, se isso não for...

– Sim, obrigada – Ella agradece rapidamente. Suas bochechas já estão rosadas. – Somos gratos pela sua consideração.

Nouria acena com a cabeça. Ela parece satisfeita. E então se vira para Kenji e Nazeera e diz:

– Se vocês quiserem, posso me organizar para unir os quartos separados de vocês, assim...

Kenji e Nazeera respondem ao mesmo tempo:

– O quê? Não.

– Absolutamente não.

– *Ah*, sinto muito – Nouria se apressa em responder. – Me desculpem. Eu não deveria ter presumido.

Pela primeira vez na vida, Nazeera parece confusa. Ela mal consegue pronunciar as palavras quando diz:

– Por que você acha que queremos dividir um quarto?

Nouria balança a cabeça. Ela troca um olhar rápido e confuso com Castle, mas parece subitamente mortificada.

– Eu não sei. Sinto muito. Vocês pareciam...

– Quartos separados são perfeitos – completa Kenji, de maneira ríspida.

– Ótimo – Nouria fala, em tom um pouco alegre demais. – Me acompanhem.

E eu observo com divertimento enquanto Castle tenta e não consegue esconder um sorriso.

Nossa residência, como Nouria chamou, é mais do que eu poderia esperar. Pensei que iríamos acampar; entretanto, dentro de cada tenda há uma casa em miniatura e independente. Há uma cama, uma pequena área de estar, uma pequena cozinha e um banheiro completo. A mobília é esparsa, mas brilhante, bem-feita e limpa.

E quando Ella entra, tira os sapatos e se joga de costas na cama, quase consigo nos imaginar juntos – talvez, algum dia – em nossa própria casa. O pensamento dispara uma onda de euforia desorientadora pelo meu corpo.

E então... medo.

Parece um destino tentador até mesmo esperar por uma felicidade como essa. No entanto, há outra parte de mim, uma parte pequena, mas insistente de mim, que se apega a essa esperança. Ella e eu superamos o que eu pensava ser impossível. Nunca sonhei que ela ainda me amaria depois que soubesse tudo a meu respeito. Nunca sonhei que a tristeza e os horrores dos acontecimentos recentes apenas servissem para nos aproximar, ou que meu amor por ela pudesse, de alguma forma, aumentar dez vezes em duas semanas. Cresci acreditando que as alegrias deste mundo eram para as outras pessoas. Eu tinha certeza de que estava fadado a uma vida desolada e solitária, para sempre banido do contentamento oferecido pela conexão humana.

Mas agora...

Ella boceja sem fazer som, abraçando um travesseiro contra o peito enquanto se curva de lado. Seus olhos se fecham.

Um sorriso puxa minha boca enquanto a observo.

Ainda estou espantado com a forma como a visão dela poderia me trazer tanta paz. Ela se mexe, novamente, enterrando-se mais fundo nos travesseiros, e percebo que ela deve estar exausta. E, por mais que eu gostasse de puxá-la para os meus braços, decidi lhe dar espaço. Afasto-me em silêncio e aproveito o tempo para explorar o resto da nossa nova casa temporária.

Ainda estou surpreso com o quanto eu gosto daqui.

Temos mais privacidade neste lugar, nesta nova sede, do que jamais tivemos antes. Mais liberdade. Aqui, sou um visitante, bem-vindo para levar o tempo que quiser tomando banho e descansando antes do jantar. Ninguém espera que eu governe o mundo deles. Não tenho que cuidar de correspondência. Não há tarefas terríveis para realizar. Nenhum civil para supervisionar. Nenhum inocente para torturar. Sinto-me muito mais livre agora que alguém tomou as rédeas.

É estranho e maravilhoso.

É tão bom ter espaço com Ella – espaço literal e figurado – para sermos nós mesmos, para estarmos juntos, para simplesmente existirmos e respirarmos. Ella e eu dividimos meu quarto antes, na base, mas nunca me senti em casa lá. Tudo era frio, estéril. Eu odiava aquele prédio. Odiava aquele quarto. Odiava cada minuto da minha vida. Aquelas paredes – meus próprios aposentos – eram sufocantes, impregnadas de lembranças terríveis. Mas aqui, embora o alojamento seja pequeno, os espaços apertados conseguem ser aconchegantes. Este lugar é fresco, novo e sereno. O futuro não parece improvável aqui. A esperança não parece ridícula.

Parece uma chance de começar de novo.

E não parece perigoso sonhar que um dia Ella possa ser minha em todos os sentidos. Minha esposa. Minha família. Meu futuro.

Eu nunca, jamais, ousei pensar nisso.

Mas minhas esperanças são extintas tão rapidamente quanto apareceram. Os avisos de Kenji passam pela minha mente e me sinto subitamente agitado. Ao que parece, pedir Ella em casamento é mais complicado do que eu pensava que poderia ser. Ao que parece, preciso de algum tipo de plano. Um anel. Um momento de joelhos. Tudo parece ridículo para mim. Nem sei direito por que soa ridículo, só que não parece ser a *minha cara*. Não sei como fazer um espetáculo. Não quero fazer uma cena. Acho doloroso ser tão vulnerável na frente de outras pessoas ou em um ambiente desconhecido. Eu não saberia como me comportar.

Ainda assim, esses problemas parecem superáveis na busca de uma eternidade com ela. Eu ficaria de joelhos se Ella quisesse. Eu a pediria em casamento em uma sala cheia de seus amigos mais próximos, se é disso que ela precisa.

Não, meu medo é algo muito maior que isso.

Aquilo que Kenji me disse hoje, que me sacudiu no âmago, foi a possibilidade de que Ella pudesse dizer "não". É *inconcebível* que nunca me ocorreu que ela pudesse dizer "não".

Claro que ela poderia dizer "não".

Ela poderia não estar interessada por um número infinito de razões. Ela pode não estar pronta, por exemplo. Ou ela pode não estar interessada na instituição do casamento como um todo. *Ou*, penso eu, ela apenas pode não querer se amarrar a mim de maneira tão permanente.

O pensamento faz disparar um arrepio pelo meu corpo.

Acho que imaginei que ela e eu estivéssemos na mesma página do ponto de vista emocional. Mas minhas suposições nesse departamento me colocaram em problemas mais vezes do que eu gostaria de admitir, e as apostas são altas demais agora para não levar a preocupação de Kenji a sério. Não estou preparado para reconhecer o dano que causaria no meu coração se ela rejeitasse minha proposta.

Respiro fundo, com força.

Kenji disse que preciso de um anel. Até agora ele tem razão sobre a maioria das coisas que fiz de errado no meu relacionamento com ela, então estou inclinado a acreditar que ele pode ter razão. Apesar disso, não tenho ideia de onde eu poderia arranjar um anel em um lugar como este. Talvez se estivéssemos na nossa cidade, onde eu estivesse familiarizado com a área e seus artesãos...

Mas aqui?

É quase impossível pensar nisso agora.

Há muito o que pensar, de fato, que não consigo acreditar que estou considerando algo assim – em um momento como esse. Não tive nem um momento para assimilar a aparente regeneração do meu pai, ou literalmente qualquer uma das outras revelações novas e ultrajantes que nossas famílias nos lançaram. Estamos no meio de uma luta pelas nossas vidas; nós estamos lutando pelo futuro do *mundo*.

Fecho os olhos com força. Talvez eu seja mesmo um idiota.

Cinco minutos atrás, o fim do mundo parecia o motivo certo para o pedido de casamento: ter tudo o que eu pudesse neste mundo transitório – e não sofrer por nada. Mas, de repente, parece que pode ser uma decisão impulsiva. Talvez este não seja o momento certo, afinal.

Talvez Kenji estivesse certo. Talvez eu não esteja pensando claramente. Talvez perder Ella e recuperar todas essas memórias...

Talvez isso tenha me deixado irracional.

Desencosto da parede, tentando clarear as ideias. Ando pelo resto do pequeno espaço, faço um balanço de tudo em nossa tenda e olho para o banheiro. Fico aliviado ao descobrir que há um encanamento real. Na verdade, quanto mais olho em volta, mais percebo que isso não é mesmo uma barraca. Há pisos e paredes reais e um único teto abobadado sobre todo o espaço, como se cada unidade fosse na verdade uma pequena construção independente. O tecido da barraca parece estar sobre toda a estrutura – e me pergunto se elas têm algum propósito mais prático que não seja imediatamente óbvio.

Vários anos, disse Nouria.

Vários anos eles viveram aqui e fizeram deste lugar um lar. Eles realmente encontraram uma maneira de criar algo a partir do nada.

O banheiro tem um bom tamanho, é espaçoso o suficiente para duas pessoas o dividirem, mas não grande o suficiente para ter uma banheira. Mesmo assim, quando nos aproximamos da clareira, eu nem tinha certeza se eles teriam instalações adequadas ou água corrente, então isso é mais do que eu poderia esperar. E quanto mais olho para o chuveiro, mais fico subitamente desesperado para enxaguar essas semanas da minha pele. Sempre me esforcei para permanecer limpo, mesmo na prisão, mas já faz muito tempo que tomei um banho quente com água corrente, e mal posso resistir à tentação agora. E já tirei a maior parte das minhas roupas quando ouço Ella chamar meu nome, sua voz ainda sonolenta vinda do que serve como nosso quarto. Ou espaço para a cama. Não é realmente um quarto; é mais uma área designada para abrigar uma cama.

– Sim? – pergunto de longe.

– Aonde você foi? – ela pergunta.

– Pensei que eu poderia tomar um banho – tentei dizer sem gritar. Acabei de tirar a cueca e entrar no chuveiro, mas viro os registros do lado errado e a água sai fria do chuveiro. Pulo para trás, tentando reparar meu erro, e quase esbarro com Ella no processo.

Ella, que de repente está de pé atrás de mim.

Não sei se é um hábito, instinto ou autopreservação, mas pego uma toalha de uma prateleira próxima e a pressiono rapidamente contra o corpo exposto. Eu nem entendo por que fico subitamente autoconsciente. Nunca me sinto desconfortável na minha própria pele. Gosto da minha aparência nua.

Mas esse momento não era o que eu esperava e me sinto indefeso.

– Oi, amor – digo, respirando ofegante. Eu lembro de sorrir. – Não vi você parada aí.

Ella cruza os braços, fingindo irritação, mas posso ver o esforço que ela está fazendo para evitar um sorriso.

– Aaron – ela diz severamente. – Você ia tomar um banho sem mim?

Minhas sobrancelhas disparam para o alto, surpresas.

Por um momento, não sei o que dizer. E então, com cautela:

– Você gostaria de se juntar a mim?

Ela se aproxima, passa seus braços em volta da minha cintura e olha para mim com um sorriso doce e secreto. Seu olhar é o suficiente para me fazer pensar em soltar a toalha.

Sussurro o nome dela, meu coração pesado de emoção.

Ela me puxa para mais perto, tocando suavemente seus lábios no meu peito, e fico desconfortavelmente parado. Seus beijos vão ficando mais intensos, seus lábios deixam um rastro de fogo no meu peito, descendo pelo meu tronco, e sensações correm pelas minhas veias, me deixando em chamas. De repente esqueço porque eu estava segurando uma toalha.

Nem sei quando ela cai no chão.

Deslizo os braços ao redor dela, a envolvo junto de mim. É uma delícia abraçá-la, seu corpo se encaixa perfeitamente no meu, e inclino seu rosto para cima, minha mão segurando em algum lugar atrás de seu pescoço e na base de seu queixo e a beijo, suave e devagar, calor enchendo meu sangue com uma velocidade perigosa. Eu a puxo com mais força e ela ofega, oscila e dá um passo acidental para trás e a pego, pressionando-a contra a parede atrás dela. Puxo a bainha de seu vestido e, em um único movimento, puxo-o para cima, minha mão deslizando sob o tecido para percorrer a pele lisa de sua cintura, para agarrar seu quadril com força. Afasto as pernas dela com a minha coxa e ela faz um som suave e desesperado no fundo da garganta que mexe comigo – senti-la assim, ouvi-la assim, ser atacado pelas ondas infinitas de seu prazer e desejo...

Isso me deixa *maluco*.

Enterro o rosto em seu pescoço, minhas mãos subindo sob seu vestido para sentir sua pele, quente e macia e sensível ao meu toque. Senti muito a falta dela. Senti falta de seu corpo sob as minhas mãos, senti falta do cheiro de sua pele e do sussurro acetinado de seu cabelo contra o meu corpo. Beijo seu pescoço, tentando ignorar a tensão nos meus músculos ou a pressão forte e desesperada que me leva em direção a ela, em direção à loucura. Há uma dor que se expande dentro de mim e exige mais, exige que eu a vire e me perca nela aqui, agora, e ela sussurra...

– Como... Como é sempre tão gostoso ficar com você? – Ela está se agarrando a mim, com os olhos semicerrados, mas brilhantes de desejo. Seu rosto está ruborizado. Suas palavras são carregadas quando fala: – Como você sempre faz isso comigo?

Eu me afasto.

Dou dois passos para trás e estou respirando com dificuldade, tentando recuperar o controle de mim mesmo enquanto seus olhos se arregalam, seus braços ficando imóveis.

– Aaron – diz ela. – O que f...

– Tire o seu vestido – peço baixinho.

A compreensão desperta em seus olhos.

Ela não diz nada, só me fita com cuidado, enquanto observo, aprisionado por uma forma aguda de agonia. Suas mãos estão tremendo, mas seus olhos estão carentes, nervosos, cheios de desejo. Ela empurra o tecido para baixo, passando por seus ombros e deixa tudo cair no chão. Saboreio a visão de Ella saindo do vestido, minha mente acelerada.

Maravilhosa, penso. *Tão maravilhosa.*

Meu pulso está disparado.

Quando peço, ela solta o fecho do sutiã. Momentos depois, a calcinha se une ao sutiã no chão e não consigo desviar o olhar, minha mente incapaz de processar a perfeição dessa felicidade. Ela é tão impressionante que mal consigo respirar. Mal consigo imaginar que ela é minha, que ela me quer, que ela algum dia me amaria. Não consigo nem me ouvir *pensar* com todo o sangue bombeando nos meus ouvidos, meu coração batendo tão rápido e forte que parece bater no meu crânio. A visão dela na minha frente, vulnerável e ruborizada de desejo, está fazendo coisas loucas e desesperadas na minha mente. Nossa, as fantasias que tenho com ela. Os lugares para onde minha mente foi.

Dou um passo à frente e a pego no colo. Ela ofega, surpresa, agarrando-se ao meu pescoço enquanto coloco suas pernas ao redor da minha cintura, meus braços se acomodando sob suas coxas. Amo sentir o peso de suas curvas. Amo tê-la tão perto de mim. Amo seus braços em volta do meu pescoço e o aperto de suas pernas em volta dos meus quadris. Amo como ela está pronta, suas coxas já afastadas, cada centímetro dela pressionado contra mim. Mas então ela passa as mãos pelas minhas costas nuas e tenho que resistir ao impulso de recuar. Não quero ficar constrangido a respeito das cicatrizes no meu corpo. Não quero que nenhuma parte de mim seja proibida para ela. Quero que ela me conheça exatamente como sou e, por mais difícil que seja, me permito relaxar ao seu contato, fechando os olhos quando ela sobe as mãos, percorre meus ombros, meus braços.

– Você é tão maravilhoso – ela murmura. – Fico sempre surpresa. Não importa quantas vezes eu te veja sem roupas, sempre fico surpresa. Não parece justo que alguém seja tão maravilhoso.

Ela me observa, como se esperasse uma resposta, mas não consigo falar. Temo que posso me desfazer se fizer isso. Eu a quero com uma necessidade desesperada que eu nunca conheci antes – uma necessidade desesperada e dolorosa tão avassaladora que ameaça me consumir. Preciso dela. Preciso disso. Agora. Respiro fundo, uma respiração entrecortada, e a levo para o chuveiro.

Ela grita.

A água quente nos atinge rápido e forte e a pressiono contra a parede do chuveiro, me perdendo nela de uma maneira como nunca fiz antes. Os beijos são mais profundos, mais desesperados.

O calor, mais explosivo. Tudo entre nós parece selvagem, primitivo e vulnerável.

Perco a noção do tempo.

Não sei há quanto tempo estamos aqui. Não sei quanto tempo eu me perco nela quando ela grita, apertando meus braços com tanta força que suas unhas cravam na minha pele, seus gritos abafados contra o meu peito. Sinto-me fraco, instável quando ela desaba nos meus braços; estou intoxicado pelo poder puro e impressionante de suas emoções: infinitas ondas de amor e desejo, amor e bondade, amor e alegria, amor e ternura. Tanta ternura.

É quase demais.

Dou um passo para trás, me apoiando contra a parede enquanto ela pressiona sua bochecha no meu peito e me abraça, nossos corpos molhados e pesados com as sensações, nossos corações batendo com algo mais poderoso do que jamais imaginei ser possível. Beijo a curva do ombro dela, a nuca. Esqueço onde estamos e tudo o que há para fazer e apenas me seguro, a água quente correndo pelos meus braços, meus braços e pernas ainda um pouco trêmulos, aterrorizados demais para soltá-la.

~~Juliette~~ Ella

Acordo com um sobressalto.

Depois que saímos do banho, nos secamos, subimos na cama sem dizer uma palavra e adormecemos prontamente.

Não tenho ideia de que horas são.

O corpo de Aaron está entrelaçado no meu, um dos seus braços embaixo da minha cabeça, o outro em volta da minha cintura. Seus braços são pesados, e o peso dele é tão bom – faz com que eu me sinta tão segura – que não me faz ter vontade de me mexer. Entretanto...

Sei que provavelmente devemos sair da cama.

Suspiro, odiando acordá-lo – ele parece tão cansado – e eu me viro devagar em seus braços.

Ele só me abraça mais forte.

Aconchega-se de modo que seu queixo se apoia na minha cabeça; meu rosto agora está pressionado suavemente contra sua garganta, e respiro o cheiro dele, correndo minhas mãos ao longo das linhas fortes e profundas de músculos em seus braços. Tudo nele parece natural. Poderoso. Há algo selvagem e apavorado em seu coração e, de alguma forma, saber disso só me faz amá-lo mais. Contorno as linhas de suas omoplatas, a curva de sua coluna. Ele se mexe, mas só um pouco, e enterra o rosto no meu cabelo, me inspirando.

– Não vá – ele fala baixinho.

Inclino a cabeça, beijo delicadamente o comprimento de sua garganta.

– Aaron – sussurro –, não vou a lugar nenhum.

Ele suspira:

– Que bom.

Sorrio.

– Mas precisamos sair da cama. Temos que jantar. Eles devem estar esperando por nós.

Ele sacode a cabeça, muito de leve. Faz um som gutural de desaprovação.

– Mas...

– Não. – E então, habilmente, ele me ajuda a me virar. Ele me abraça apertado de novo, minhas costas pressionadas contra seu peito. Sua voz é suave, rouca de desejo quando ele fala: – Me deixa aproveitar você aqui, meu amor. É tão gostoso.

E eu cedo. Derreto de volta em seus braços.

A verdade é que esses momentos são o que mais amo. A satisfação silenciosa. A paz. Amo o peso dele, a sensação dele, seu corpo nu em volta do meu. Nunca me sinto mais próxima dele do que desse jeito, quando não há nada entre nós.

Com delicadeza, ele beija minhas têmporas. Me abraça, de alguma forma, ainda mais apertado. E seus lábios estão no meu ouvido quando ele diz:

– Kenji disse que eu deveria te dar um anel.

Enrijeço, confusa. Tento me virar quando pergunto:

– O que você quer dizer?

Mas Aaron abaixa meu corpo com cuidado de novo na cama. Ele apoia o queixo no meu ombro. Suas mãos descem pelos meus braços, traçam a curva dos meus quadris. Ele beija meu pescoço uma vez, duas vezes, tão suavemente.

– Sei que estou fazendo isso errado – diz ele. – Eu sei que não sou bom nesse tipo de coisa, meu amor, e espero que você me perdoe por isso, mas não sei como fazer diferente. – Uma pausa. – Estou começando a pensar que isso tudo pode me matar se eu não fizer.

Meu corpo está congelado, meu coração batendo furiosamente no peito.

– Aaron – falo, mal ousando respirar. – Do que você está falando?

Ele não diz nada.

Eu me viro de novo e, desta vez, ele não me impede. Seus olhos brilham com emoção e observo o movimento suave em sua garganta enquanto ele engole. Um músculo salta em sua mandíbula.

– Case comigo – ele sussurra.

Encaro-o com descrença e alegria colidindo juntas. E é o olhar dele – o olhar esperançoso e aterrorizado – que quase me mata.

De repente estou chorando.

Levo as mãos ao meu rosto. Um soluço escapa da minha boca. Com cuidado, ele tira minhas mãos do rosto.

– Ella? – Suas palavras mal são um sussurro.

DESAFIA-ME

Ainda estou chorando quando passo meus braços em volta do seu pescoço, ainda chorando quando ele diz, um pouco nervoso...
– Querida, preciso mesmo saber se isso significa sim ou não.
– Sim – grito, um pouco histérica. – Sim. Sim para tudo com você. Sim para sempre com você. *Sim*.

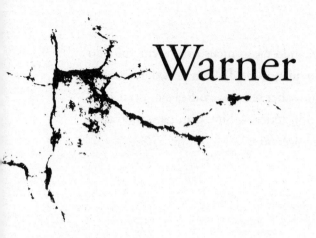

Warner

Isso é alegria?
Acho que poderia me matar.
— Aaron?
— Sim, meu amor?

Ela pega meu rosto em suas mãos e me beija, me beija com um amor tão profundo que liberta meu cérebro da prisão. Meu coração começa a bater violentamente.

— Ella, você vai ser minha esposa.

Ela me beija de novo, chorando de novo e de repente não me reconheço. Não reconheço minhas mãos, meus ossos, meu coração. Eu me sinto novo. Diferente.

— Eu te amo — ela sussurra. — Eu te amo tanto...
— Só o fato de você me amar já parece algum tipo de milagre.

Ela sorri, balançando a cabeça.

— Isso é ridículo — diz ela. — É muito fácil amar você.

E não sei o que dizer. Não sei como reagir.

Ela não parece se importar.

Puxo-a no meu abraço, beijo-a novamente e me perco no gosto e na sensação dela, na fantasia do que poderíamos ter. O que poderíamos ser. E então a puxo suavemente para o meu colo e ela monta no meu corpo, acomodando-se sobre mim até que estamos pressionados um no outro, seu rosto contra o meu peito. Passo meus braços ao redor dela, abro as mãos espalmadas em suas costas. Sinto sua respiração suave na minha pele, seus cílios fazendo cócegas no meu peito quando ela pisca, e decido que nunca, nunca vou sair desta cama.

Um silêncio feliz e maravilhoso se instala entre nós.

– Você me pediu em casamento – ela diz baixinho.

– Pedi.

– Nossa.

Sorrio, meu coração se encheu de repente com uma alegria inexprimível. Mal me reconheço. Não me lembro da última vez que sorri tanto assim. Não me lembro de alguma vez sentir esse tipo de felicidade pura e despreocupada.

Como se meu corpo pudesse sair flutuando sem mim.

Toco o cabelo dela delicadamente. Passo os dedos pelos fios macios e sedosos. Quando enfim me sento, ela se senta também, e fica corada quando olho para ela, hipnotizado ao vê-la. Seus olhos estão arregalados e brilhantes. Seus lábios, cheios e rosados. Ela é perfeita, perfeita aqui, nua e linda nos meus braços.

Pressiono a testa na curva do seu ombro, meus lábios roçando sua pele.

– Eu te amo, Ella – sussurro. – Vou te amar pelo resto da minha vida. Meu coração é seu. Por favor, não me devolva.

Ela não diz nada pelo que parece ser uma eternidade.

Por fim, sinto-a se mexer. Sua mão toca meu rosto.

– Aaron – sussurra. – Olhe para mim.

Balanço a cabeça.

– Aaron.

Levanto o olhar e encontro o dela, e sua expressão é ao mesmo tempo triste, doce e cheia de amor. Sinto algo descongelar dentro de mim quando a fito, e, quando ela está prestes a dizer algo, um sinal sonoro complicado ecoa pelo espaço.

Fico imóvel.

Ella franze a testa. Analisa o entorno.

– Isso parece uma campainha – pondera.

Eu gostaria de poder negar a possibilidade.

Eu me arrumo no lugar, mesmo que ela ainda esteja sentada no meu colo. Quero que a interrupção termine. Quero voltar para a nossa conversa. Quero manter o meu plano original de passar o resto da noite aqui, na cama, com minha noiva perfeita e nua.

A campainha soa de novo e, desta vez, exaspero baixinho algo nada cavalheiresco.

Ella ri, surpresa.

– Você acabou de falar um palavrão?

– Não.

Um terceiro sinal sonoro. Desta vez, olho para o teto e tento clarear a cabeça. Tento me convencer a me mexer, a me vestir. Isso deve ser algum tipo de emergência, ou então...

De repente, uma voz:

– Escutem, eu não queria vir, tá? Eu realmente não queria. Odeio ser esse cara. Mas o Castle me mandou vir buscar vocês porque perderam o jantar. Está ficando supertarde e todo mundo está um pouco preocupado, e agora vocês não estão nem mesmo atendendo a porta, e... caramba, abram a porra da porta...

Não posso acreditar. Não posso acreditar que ele está aqui. Ele está sempre aqui, arruinando minha vida.

Eu vou *matá-lo*.

Quase tropeço tentando puxar minhas calças e chegar à porta ao mesmo tempo e, quando consigo, escancaro a porta, quase arrancando-a das dobradiças.

— A menos que alguém esteja morto, morrendo ou a gente esteja sofrendo um ataque, quero que você tenha sumido daqui antes mesmo de eu terminar esta frase.

Kenji estreita os olhos para mim e depois passa por mim e entra no quarto. Fico tão atordoado por sua coragem que levo um momento para perceber que vou ter que matá-lo.

— J...? — ele chama, olhando em volta enquanto entra. — Você está aqui?

Ella está segurando o lençol até o pescoço.

— Uh, oi — ela responde, sorrindo de nervoso. — O que você está fazendo aqui?

— Ei, tudo bem se eu continuar te chamando de J? — ele pergunta. — Sei que seu nome é Ella e tudo mais, mas me acostumei tanto a te chamar de J, que parece certo, sabe?

— Você ainda pode me chamar de J — ela afirma. E então ela franze a testa. — Kenji, qual é o problema?

Solto um gemido.

— Saia — digo-lhe. — Não sei por que você está aqui e não me importo. Nós não queremos ser incomodados. *Nunca*.

Ella me dispara um olhar penetrante. Ela me ignora quando diz a Kenji:

— Tudo bem. Eu me importo. Me diga o que aconteceu.

— Não aconteceu nada – Kenji responde. – Mas sei que seu namorado não vai me ouvir, então eu queria que você soubesse que é quase meia-noite e nós precisamos mesmo que vocês desçam para a barraca de jantar o mais rápido possível, ok? – Ele lança um olhar significativo para Ella, e os olhos dela se arregalam. Ela acena com a cabeça. Sinto uma onda súbita de empolgação passar por ela, e isso me deixa confuso.

— O que está acontecendo? – questiono.

Mas Kenji já está se afastando.

— Cara, você realmente precisa, tipo, comer uma pizza ou algo assim – diz ele, batendo no meu ombro enquanto sai. – Você tem gominhos demais no abdome.

— O quê? – Minhas sobrancelhas se unem. – Isso não é...

— Estou *brincando* – Kenji fala, parando na porta pouco antes de sair. – Brincando – ele diz novamente. – Foi uma piada. Caramba.

E então ele bate a porta quando sai. Eu me viro.

— O que está acontecendo? – pergunto de novo.

Mas ela apenas sorri.

— A gente deveria se vestir.

— Ella...

— Prometo que vou explicar assim que chegarmos lá.

Balanço a cabeça.

— Aconteceu alguma coisa?

— Não, só estou muito animada para ver todos do Ponto Ômega novamente, e todos estão esperando por nós na barraca de jantar. — Ela sai da cama ainda segurando o lençol na frente do corpo, e tenho que apertar meus punhos para não o puxar para longe dela. Para não prendê-la contra a parede.

E, antes que eu tenha a chance de responder, ela desaparece no banheiro, o lençol arrastando no chão pelo caminho.

Eu vou atrás.

Ela está procurando as roupas, alheia à minha presença, mas seu vestido está no chão em um canto que ela ainda não viu e, na verdade, duvido que ela queira colocar o vestido ensanguentado. Devo dizer-lhe que encontrei uma gaveta cheia de roupas simples e comuns que provavelmente podemos pegar emprestado.

Talvez mais tarde.

Por enquanto, vou atrás dela, deslizo as mãos ao redor de sua cintura. Ela se assusta e o lençol cai no chão.

— Ella — chamo baixinho, puxando seu corpo contra o meu. — Querida, você tem que me dizer o que está acontecendo.

Eu a giro devagar. Ela olha para baixo, surpresa — sempre surpresa — pela visão de seu corpo nu.

— Não tenho roupa — ela sussurra.

— Eu sei — afirmo, sorrindo, percorrendo as mãos pelas suas costas, apreciando a maciez, as curvas perfeitas. Eu gostaria de poder guardar esses momentos. Eu gostaria de poder revisitá-los. Revivê-los. Ela estremece nos meus braços e a puxo para mais perto.

— Não é justo — diz ela, passando os braços em volta de mim. — Não é justo que você possa sentir emoções. Que seja impossível manter segredos de você.

– O que não é justo – explico – é que você está prestes a vestir roupa e me forçar a deixar este quarto e eu não saber por quê.

Ela me observa, os olhos arregalados e nervosos quando sorri. Posso sentir que ela está dilacerada, seu coração em dois lugares ao mesmo tempo.

– Aaron – ela diz baixinho. – Você não gosta de surpresas?

– Odeio surpresas.

Ela ri. Sacode a cabeça.

– Eu acho que deveria saber disso.

Analiso-a, sobrancelhas levantadas, ainda esperando uma explicação.

– Eles vão me matar por te contar – ela continua. E então, ao olhar nos meus olhos: – Não... quero dizer, não literalmente. Mas só... – Por fim, ela suspira e não me encara quando diz: – Vamos te fazer uma festa de aniversário.

Tenho certeza de que ouvi errado.

~~Juliette~~ Ella

Levou mais trabalho do que eu havia imaginado para fazê-lo acreditar em mim. Ele queria saber como alguém sabia que amanhã era seu aniversário e como poderíamos ter planejado uma festa quando não tínhamos ideia de que iríamos cair do avião aqui e por que alguém iria dar uma festa para ele e ele nem tinha certeza se gostava de festas e assim por diante.

E ele só acreditou em mim quando literalmente atravessamos as portas da tenda de jantar e todos gritaram "feliz aniversário". Não era muito, claro. De fato, não tivemos tempo para nos preparar. Eu sabia que o aniversário dele estava chegando porque eu estava acompanhando a data desde o dia em que ele me contou o que seu pai costumava fazer com ele, todos os anos, no aniversário. Jurei a mim mesma que faria o que pudesse para substituir aquelas memórias por outras melhores. Que para todo o sempre eu tentaria abafar a escuridão que havia aspirado toda a sua vida jovem.

Eu disse a Kenji, quando ele me encontrou, que amanhã era o aniversário de Aaron, e o fiz prometer que, não importava o que acontecesse, quando o encontrássemos, encontraríamos um jeito de comemorar, de alguma forma.

Mas isso...

Isso foi mais do que eu poderia esperar. Pensei que talvez, dadas as nossas limitações de tempo, só faríamos o grupo cantar parabéns para ele ou talvez comer sobremesa em homenagem, mas isso...

Há um bolo de verdade.

Um bolo com velas, esperando para serem acesas.

Todos do Ponto Ômega estão aqui – todos os rostos familiares: Brendan e Winston, Sonya e Sara, Alia e Lily, Ian e Castle. Só Adam e James estão faltando, mas também temos novos amigos...

Haider está aqui. Assim como Stephan. Nazeera.

E então há a nova resistência. Os membros do Santuário que ainda não conhecemos se apresentam, reunidos em torno de um único e modesto bolo. Nele está escrito:

FELIZ ANIVERSÁRIO, WARNER

em cobertura vermelha.

A parte da confeitaria foi um pouco desleixada. A cobertura é imperfeita. Mas, quando alguém apaga as lâmpadas e acende as velas, Aaron fica de repente parado ao meu lado. Aperto a mão dele enquanto me fita, seu semblante com uma nova emoção.

Há tragédia e beleza em seus olhos: algo impassível que se recusa a ser comovido e algo infantil que não pode deixar de sentir alegria. Ele parece, em resumo, que está com dor.

– Aaron – sussurro. – Está tudo bem?

Ele leva alguns segundos para responder, mas, quando finalmente responde, balança a cabeça. Apenas uma vez, mas é o suficiente.

– Sim – responde em voz baixa. – Está tudo bem.

E me sinto relaxar.

Amanhã, haverá dor e devastação para enfrentar. Amanhã vamos mergulhar em um novo capítulo de dificuldades. Há uma guerra mundial em vias de acontecer. Uma batalha pelas nossas vidas – pelo mundo inteiro. Neste momento, não há certezas. Mas esta noite, estou escolhendo celebrar. Vamos celebrar as pequenas e grandes alegrias. Aniversários e compromissos. Vamos encontrar tempo para a felicidade. Porque, como podemos nos opor à tirania se nós mesmos estamos cheios de ódio? Ou pior...

Nada?

Quero me lembrar de comemorar mais. Quero lembrar de experimentar mais alegria. Quero me permitir ser feliz com mais frequência. Quero lembrar, para sempre, esse olhar no rosto de Aaron, quando ele é intimidado a soprar suas velas de aniversário pela primeira vez.

Afinal de contas, é por isto aqui que estamos lutando, não é?

Uma segunda chance de alegria.

TIPOGRAFIA   ADOBE GARAMOND PRO